D1204570

LA SEGUNDA GUERRA MUNDIAL

LA SEGUNDA GUERRA MUNDIAL

VICTORIA EN EUROPA I

Dirección editorial: Julián Viñuales Solé
Coordinación editorial: Julián Viñuales Lorenzo
Dirección técnica: Pilar Mora Oliver
Producción: Miguel Ángel Roig Farrera
Coordinación técnica: Luis Viñuales Lorenzo
Diseño Gráfico: Singular

Autor: Gerald Simons
Colaboradores: Colonel John R. Elting y Earl F. Ziemke

Título original: *Victory in Europe*
Traducción: Domingo Santos

Publicado por:
Ediciones Folio, S.A.
Muntaner, 371
08021 Barcelona

ISBN: 84-413-0000-3 (Obra completa)
ISBN: 84-413-0001-1 (volumen I)

Impresión: Cayfosa
Santa Perpètua de Mogoda (Barcelona)

Depósito legal: B-18.159-1995

Printed in Spain

CONTENIDO

CAPÍTULOS

ENSAYOS FOTOGRÁFICOS

LIBERTADORES CON BOTAS DURAS

Las tropas soviéticas que avanzan sobre Viena en abril de 1945 pisotean una bandera nazi. Los rusos, que no hacían distinciones entre austríacos y alemanes, los trataron duramente a ambos.

EMPUJE TRIUNFAL DE UN EJÉRCITO POLÍTICO

En el norte de Checoslovaquia, un soldado del Ejército Rojo pinta nuevos indicadores de carretera en ruso, poniendo el toque final en una flecha que señala el camino hacia Berlín.

Los ejércitos de Stalin, en su avance hacia Alemania a través de la Europa oriental dominada por los nazis, estuvieron tan interesados en afirmar su dominio político como en conseguir la victoria militar. Los carteles de las carreteras y los eslóganes de las vallas publicitarias en alemán fueron reemplazados rápidamente por otros en ruso. Y los oficiales soviéticos aleccionaron a sus tropas sobre las características de los países –desde la tradicionalmente prosoviética Bulgaria hasta la antirrusa Polonia– en los que iban a entrar como amigos liberadores y protectores.

Las tropas soviéticas recibieron más de una cálida recepción en su camino hacia Berlín. Hubo escenas de soldados sonrientes aceptando fruta de manos de niños y entregándoles navajitas de bolsillo a cambio. Cuando los rusos se acercaron a una ciudad búlgara, la gente salió a recibirles con sus galas del domingo, y el departamento de bomberos regó toda la calle para eliminar el polvo; en otra ciudad los residentes flanquearon el camino con banderas rojas y construyeron un arco sobre la calle principal con un cartel de bienvenida.

En parte al menos, las escenas de hospitalidad fueron obra de los propios propagandistas soviéticos, y las sonrisas amistosas eran a menudo forzadas. El avance triunfal del Ejército Rojo a través de las defensas alemanas en pleno desmoronamiento agitó una corriente subterránea de aprensión entre algunos europeos orientales. Los no comunistas de Polonia, Rumania, Bulgaria y Hungría temieron que los rusos llegaran menos como liberadores que como conquistadores. Temían los efectos de la presencia rusa en sus creencias religiosas, sus derechos de propiedad y el futuro político de sus naciones.

Incluso en Yugoslavia, Josip Broz, el líder partisano comunista conocido por sus partidarios como mariscal Tito, tuvo recelos acerca de las intenciones de la Unión Soviética. Insistió –con éxito– en que el Ejército Rojo abandonara Yugoslavia tan pronto como los alemanes hubieran sido derrotados allí. Para la mayor parte de las tierras liberadas, sin embargo, la influencia soviética fue a la vez inmediata y a largo plazo. En Polonia, con la ayuda rusa, se instaló un gobierno prosoviético. En Hungría, un cabaret de Budapest señaló el futuro de la nación con un nuevo espectáculo titulado «¡Bienvenida la izquierda!». Pero un húngaro llegó a la conclusión de que era una ingenuidad esperar sólo un leve giro a la izquierda. «Sabía –escribió– que los rusos habían venido para quedarse.»

Un muchacho en Lublin, Polonia, agita un periódico comunista que anuncia las recientes derrotas alemanas, y atrae la atención de un cliente..., un alegre soldado soviético.

Civiles rumanos, tradicionalmente cautelosos ante la Unión Soviética pero desilusionados de su alianza con los alemanes, dan la bienvenida a los soldados rusos en Bucarest con una gran efusión de calidez.

Cuando las tropas soviéticas entraron en Sofía en setiembre de 1944, los búlgaros respondieron con el saludo comunista, puño cerrado en alto.

DOS NACIONES EN LA CUERDA FLOJA

Rumanos y búlgaros recibieron el avance del Ejército Rojo con una complicada y a menudo confusa mezcla de emociones. Rumania, históricamente hostil a Rusia, se había unido a Alemania en su ataque contra la Unión Soviética en 1941 para recuperar el territorio del que unos pocos meses antes se había apoderado la URSS. Los rumanos, en cambio, no sentían ninguna enemistad hacia las potencias occidentales, y cuando la guerra de Hitler se convirtió en una causa perdida, Rumania buscó –en vano– negociar una paz separada con Gran Bretaña y los Estados Unidos.

Por otro lado, la pro rusa Bulgaria, aliada del Eje sobre todo como un medio para recuperar el territorio de los Balcanes perdido en la Primera Guerra Mundial, declaró la guerra a Occidente pero no a la Unión Soviética. El gobierno búlgaro mantuvo una postura de lealtad pro nazi hasta que las tropas rusas se acercaron a la capital, Sofía, fuego dio un brusco giro. Reconociendo la nueva estructura política comunista con la que esperaba vivir, el gobierno declaró que «esta guerra terminará ciertamente con una reorganización social a gran escala de la humanidad».

Tropas soviéticas cruzan la antigua ciudad polaca de Cracovia en febrero de 1945. Los soldados fueron eludidos por muchos polacos, que recordaban la invasión rusa de 1939.

UN FRÍO RECIBIMIENTO, UNA BIENVENIDA ENSAYADA

La bienvenida del Ejército Rojo en Polonia y en Yugoslavia se vio influenciada por la capacidad de cada nación de resistir. Los polacos, humillados desde la invasión ruso-alemana de 1939, recibieron con escepticismo a sus antiguos enemigos rusos cuando reaparecieron como libertadores. «Hemos recibido tantos puntapiés –dijo un cansado polaco–, que la idea de una alianza ruso-polaca necesita tiempo para ser digerida.»

En Yugoslavia, donde las fuerzas partisanas habían sido lo bastante fuertes como para frenar a diez divisiones alemanas, hubo una pretensión de solidaridad inspirada por los soviéticos. Pero la entrada del Ejército Rojo en Belgrado fue –por acuerdo yugoslavo-soviético– sólo para ayudar a asegurar la capital. Una vez la ciudad estuvo a salvo de los alemanes, los rusos se retiraron.

En una efusiva escena preparada por los propagandistas soviéticos, los yugoslavos rurales ofrecen un recibimiento de héroe a un piloto ruso que aterrizó cerca de su pueblo durante el avance del Ejército Rojo a finales de 1944.

Soldados rusos y civiles húngaros se abren camino a través de la destruida ciudad de Budapest, donde las tropas del ejército alemán lucharon durante siete semanas antes de rendirse.

En Viena, un soldado retira de la pared el símbolo de una oficina del Partido Nazi. Escrito en la pared debajo del símbolo por un alemán huido hay un irónico desafío: «Triunfaremos.»

ESPERANZAS MARCHITAS Y PRUDENTE APATÍA

Hungría y Austria, en sus tiempos unidas en el viejo imperio Habsburgo, tuvieron respuestas contrastadas ante el avance de los rusos: anticipación y miedo. Los húngaros, aliados de Hitler, estaban cansados de la guerra; al principio, muchos de ellos aguardaron con esperanza la llegada de los soviéticos. Pero después de que el Ejército Rojo tomara Budapest en febrero de 1945, tras un asedio de 50 días, la brutalidad de las tropas soviéticas consiguió unir a los húngaros contra sus conquistadores.

En Austria, los rusos –que deseaban evitar el asedio de la capital– invitaron a los aprensivos ciudadanos de Viena a instigar un alzamiento popular. Nunca se produjo. Aunque los soviéticos advirtieron que las tropas alemanas en retirada intentaban convertir Viena en un campo de batalla y hacer pedazos la fabulosa ciudad, los alemanes se marcharon sin apenas luchar. La mayor parte de los vieneses permanecieron encerrados en sus casas mientras el Ejército Rojo la ocupaba el 13 de abril de 1945.

Artilleros soviéticos escuchan a un oficial político, de pie ante un mapa de Europa, recordarles su doble misión: destruir a los nazis y vencer al pueblo alemán.

1

Alegría por la muerte de un presidente
Un profundo temor a los rusos
Perfiles nacientes de una nueva Europa
Stalin muestra las habilidades de un jugador de póquer
Charlas junto al fuego sobre rendición en el sur
Un duro par de mariscales soviéticos
Reclutas con esmoquin
Entra Eva Braun, el «Ángel de la Muerte»

«NO CAPITULAREMOS»

El ministro de Propaganda Joseph Goebbels supo la noticia a su regreso a Berlín de una visita al Frente del Este para levantar la moral. Llegó de noche durante una incursión de bombardeo británica y halló a los miembros de su personal y a un periodista aguardándole en la calle cuando su coche se detuvo delante del Ministerio de Propaganda. El reportero exclamó: «¡Herr Reichminister, Roosevelt ha muerto!».

«Goebbels saltó fuera del coche y se detuvo por un momento de pie, como paralizado –recordó un secretario–. Nunca olvidaré la expresión en su rostro, que pudimos ver a la luz de Berlín ardiendo.» En aquel momento el impresionado Goebbels tuvo la seguridad de que se estaba repitiendo un milagro histórico: En 1762, cuando los avatares de la guerra se estaban volcando tan en contra de Federico el Grande de Prusia que éste pensaba ya en el suicidio, el rey se vio salvado, y sus enemigos, especialmente Rusia, sumidos en la confusión por la repentina muerte de la emperatriz Isabel de Rusia.

Goebbels se apresuró a su oficina y telefoneó a Adolf Hitler en su línea privada. «Mein Führer –exclamó–, le felicito. ¡Roosevelt ha muerto!» Le recordó a Hitler que las cartas astrológicas que se guardaban en el departamento de investigación del Reichsführer-SS Heinrich Himmler prometían buenos augurios para el Führer y el Reich durante la segunda mitad de abril de 1945. Luego dijo excitadamente: «¡Estamos a 13 de abril! ¡Éste es el punto culminante!».

Hitler se unió al instante a la celebración. Empezó a balbucear la noticia a todo aquel que entraba en su búnker subterráneo en el jardín de la Cancillería del Reich, donde había vivido como un topo desde enero. Para disfrutar de un poco de placer malsano, envió a buscar a su fastidioso ministro de Armamento y Producción de Guerra, Albert Speer, que había diseminado palabras derrotistas e incluso se había atrevido a oponerse a la política de tierra quemada de Hitler. Hitler toleraba estas transgresiones tan sólo porque admiraba los talentos y la habilidad de Speer.

Speer recibió la llamada del Führer tras asistir al último concierto en tiempo de guerra de la Orquesta Filarmónica de Berlín; a petición del sardónico Speer, el director Wilhelm Furtwängler había interpretado el final de la ópera de Richard Wagner *Götterdämmerung (El ocaso de los dioses)*. «Cuando llegué al búnker –contó más tarde Speer–, Hitler corrió hacia mí con un grado de animación raro en él por aquellos días. Me tendió un recorte de prensa que agitaba en la mano. "¡Tome, lea!" Sus palabras brotaron atropelladas. "Aquí está el milagro que siempre predije. ¿Quién tenía razón? La guerra no está perdida. ¡Lea! ¡Roosevelt ha muerto!"»

Speer era un hombre perceptivo que supo apreciar de inmediato las ironías de la escena. Hitler, el en sus tiempos dinámico conquistador que había extendido el Reich alemán desde el Atlántico hasta el Volga y desde el Ártico hasta el Sáhara, se veía ahora reducido a un hombre enfermo, tembloroso y prematuramente senil que se aferraba al último clavo ardiendo histórico y astrológico con la esperanza de salvar los restos que aún quedaban de sus dominios. Speer escribió: «Me sentí tentado de compadecerle, tan reducido estaba con respecto al Hitler del pasado».

De hecho, la Alemania de Hitler no sólo se estaba encogiendo a marchas forzadas; había perdido irremediablemente la guerra, y estaba absorbiendo la peor derrota que jamás hubiera sido infligida a una nación importante en los tiempos modernos. El día después de la muerte de Roosevelt, Viena cayó ante el Ejército Rojo. Más de seis millones de soldados soviéticos estaban desplegados a lo largo del Frente del Este; mantenían posiciones que incluían una cabeza de puente de 43 kilómetros de largo en la orilla occidental del río Oder (Odra en polaco), a menos de 65 kilómetros de Berlín *(mapa, pág. 20)*. Dos días antes, la vanguardia norteamericana de tres millones de soldados aliados había alcanzado el río Elba en un punto justo a 85 kilómetros al suroeste de Berlín.

Contra estas enormes y generosamente armadas fuerzas, los alemanes podían reunir hasta cinco millones de hombres, pero pocos de ellos estaban equipados para igualar a sus enemigos. Y los alemanes estaban ampliamente dispersos: intentaban resistir no sólo a lo largo de los frentes del Oder y del Elba sino también en el sureste de Alemania, el oeste de Austria, la esquina noroeste de Yugoslavia, el norte de Italia, la parte occidental de Checoslovaquia, toda Dinamarca y Noruega, y un cierto número de enclaves que ya habían sido rebasados, como la llamada bolsa de Courland en Letonia y las islas del Dodecaneso junto a Grecia. Mantener todo esto significaba una tarea imposible en la que los alemanes fracasaban día tras día.

El Tercer Reich estaba agonizando. Las ciudades alemanas se hallaban en ruinas. Berlín, bombardeado casi cada noche en las 10 semanas transcurridas desde el 1 de febrero, estaba destruida en un 75 por ciento. La industria alemana ya ni siquiera merecía este nombre. Las en sus tiempos poderosas fábricas del valle del Ruhr y sus 350.000 defensores estaban rodeadas por los norteamericanos. El último gotear de material de guerra apenas salía de las fábricas del centro y del sur de Alemania a lo largo de una red de transporte dañada ya por los bombardeos y ahora más desorganizada todavía por los rápidos avances hacia el este de los aliados occidentales. A mediados de marzo, Speer había calculado que cabía esperar «el colapso final de la economía alemana» dentro de un plazo de ocho semanas, y las condiciones habían ido empeorando a un ritmo acelerado desde esa previsión. La falta de alimentos se había convertido en un gran problema, en particular en las ciudades, donde la amenaza del hambre era intensa.

Y la guerra continuaba. Continuaba principalmente porque Hitler se negaba a rendirse. «No capitularemos –juraba una y otra vez–. ¡No, nunca! Podemos ser destruidos, pero si lo somos, arrastraremos a todo el mundo con nosotros..., un mundo en llamas.» Siempre había creído que podía convencer a las naciones occidentales de que Alemania libraba su batalla contra las «hordas bolcheviques» del Este, y aún esperaba que los anglo-norteamericanos apreciaran ese hecho a tiempo para luchar a su lado. En cualquier caso, esperaba que la muerte de Roosevelt terminara con lo que llamaba la «coalición innatural» entre los anglo-norteamericanos y los rusos y se lanzaran por fin los unos a las gargantas de los otros. Mientras tanto, Hitler urgía a los alemanes a que permanecieran firmes y lucharan hasta el último hombre. Sobre este sentimiento, su jefe militar de operaciones, el general Alfred Jodl, observaría más tarde: «Para 80 millones de personas, una lucha hasta morir no es practicable».

La Wehrmacht –el Ejército, la Marina y la Luftwaffe– siguió luchando principalmente porque sus líderes creían que no tenían otra elección. La única oposición organizada a Hitler, que cristalizó en el abortado atentado de la bomba de julio de 1944, había sido eliminada en una sangrienta purga; los líderes militares y del gobierno seguían ahora mecánicamente las órdenes, excepto un puñado de hombres que estaban negociando individualmente con los aliados con la esperanza de salvar sus carreras después de la guerra. En realidad, como demostrarían los acontecimientos de abril, incluso la guardia privada de Hitler –las Schutzstaffel, o SS–, que no era tan monolítica o inflexible como creían los oficiales de la Wehrmacht, se estaba hundiendo bajo las presiones de la derrota.

Muchos alemanes –oficiales, soldados e incluso civiles– seguían luchando por puro y profundo temor a los rusos. Tanto en salvajismo como en escala, la guerra en el Frente del Este excedía con mucho a la lucha en el Frente del Oeste; alemanes contra eslavos era una guerra de exterminación étnica. Durante el largo hostigamiento alemán de la Unión Soviética, al menos siete millones de civiles perecieron por todo tipo de causas. Aproximadamente 10 millones de soldados soviéticos habían resultado muertos en acción, y 3,5 millones de hombres murieron como prisioneros. Cuando entraron arrasando en Prusia, Pomerania y Silesia, los rusos se tomaron cumplida venganza. Las mujeres alemanas eran violadas, crucificadas en las puertas de los graneros o indiferentemente fusiladas junto con sus hijos. Largas hileras de alemanes que huían eran deliberadamente aplastados por los tanques soviéticos. Al principio, el gobierno soviético animó extraoficialmente esta atroz venganza, pero más tarde –oficialmente al menos– los líderes del gobierno intentaron frenar los excesos, aunque sólo con un modesto éxito.

Durante todo febrero y marzo y a principios de abril, los refugiados alemanes del este de Prusia y los territorios arrebatados a Polonia por Alemania en 1939 se apiñaban cruzando el Oder y su tributario el Neisse. Traían consigo relatos de sangre y agonía, y los militares alemanes respondían. Aunque muchos soldados huyeron o se despojaron de sus uniformes para sobrevivir a la embestida, muchos más prefirieron luchar para salvar a sus esposas y familias. Esos hombres decididos, en unidades desesperadas que resistían pese a la razonable suposición de que finalmente serían derrotados o destruidos, inspiraron a otros oficiales y hombres. «Abandonar a nuestros camaradas en el Este y dejarlos en la estacada en este terrible momento –escribió un general veterano– era imposible para cualquier comandante. Simplemente teníamos que luchar para proporcionar a nuestros ejércitos del Este tiempo para retirarse a las zonas británica y norteamericana.»

Puesto que los alemanes no pensaban ceder, habría que librar la batalla para la conquista de Berlín y su territorio circundante. Para el Tercer Reich, esta denodada lucha iba a significar muy poca diferencia, excepto alargar la agonía de Alemania. Para los aliados, la batalla de Berlín iba a tener serias repercusiones en la posguerra de toda Europa, como la siguiente lucha por Praga. Pocos aspectos de la Segunda Guerra Mundial despertaron más controversia entre las distintas naciones aliadas.

Estas disputas ya estaban profundamente arraigadas en las relaciones entre los aliados. Como Hitler había predicho, a

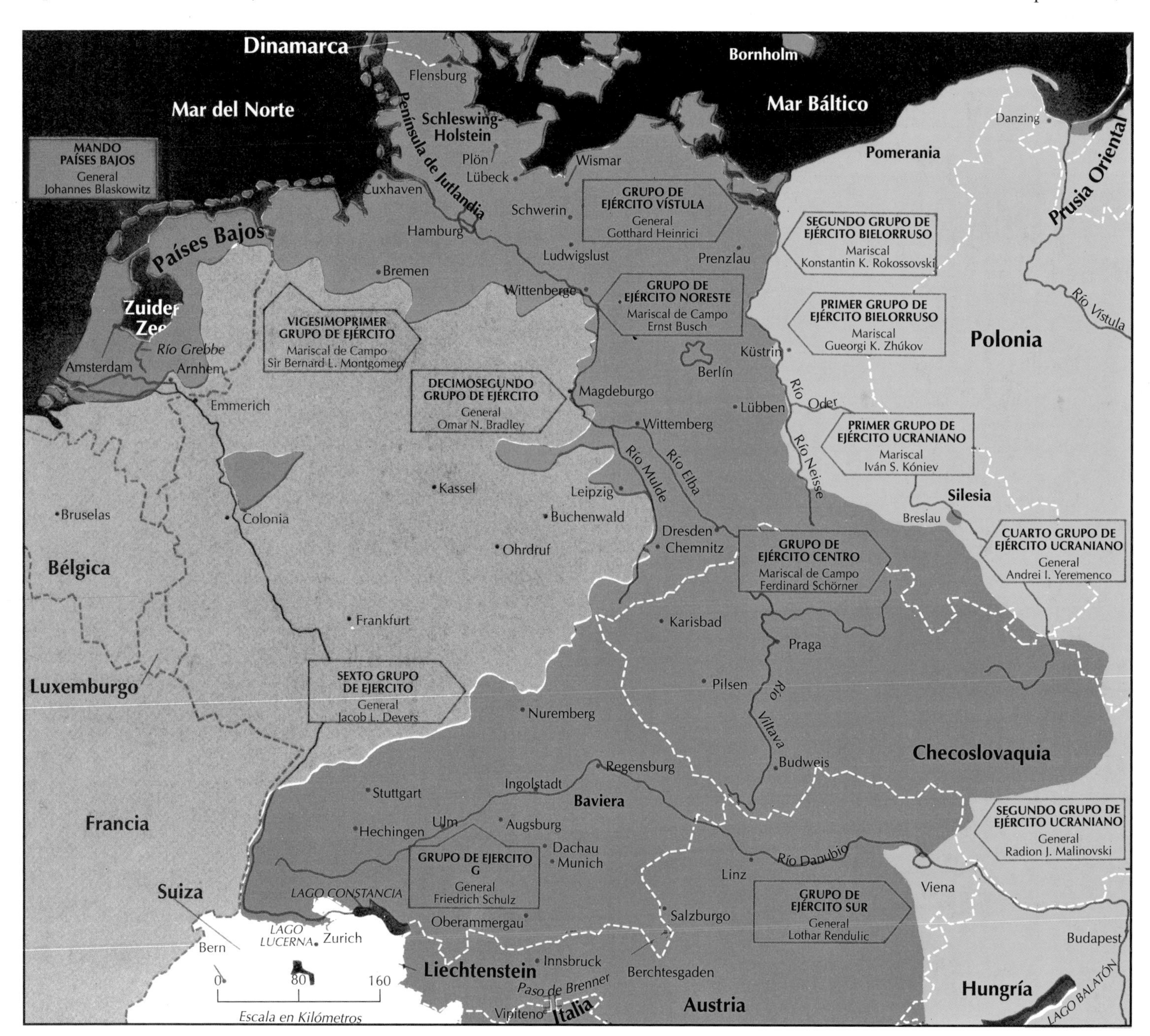

su esperanzada y exagerada manera, la coalición contra él ya se estaba disgregando. Los Estados Unidos, Gran Bretaña y la Unión Soviética estaban encontrando cada vez más difícil disimular –y mucho menos resolver– sus numerosos conflictos políticos; parecía probable que su duramente ganada cooperación en tiempo de guerra terminara en una alienación furiosa en tiempo de paz. Las grandes batallas por Berlín y Praga que se lucharon en las pocas y pesadillescas semanas que terminaron con seis años de guerra mundial pondrían terriblemente a prueba el equilibrio para una nueva Europa.

El destino de Berlín no causó serias complicaciones en los inseguros acuerdos de los aliados hasta la primavera de 1945. A los diplomáticos soviéticos, norteamericanos y británicos, reunidos en Londres como la EAC (*European Advisory Commision,* Comisión Consultiva Europea) en noviembre de 1944, se les asignó la tarea de elaborar planes de posguerra para la ocupación de Alemania. Se mostraron de acuerdo en las zonas que ocuparía cada potencia aliada *(pág. 25).* Acordaron también que las tres grandes potencias administrarían conjuntamente Berlín, y que el territorio circundante hasta tan al oeste como el Elba (y mucho más allá, en algunas zonas) quedaría en la zona de ocupación soviética.

Estos asuntos, que afectarían vitalmente el futuro de Europa y las relaciones entre las grandes potencias, fueron discutidos en la reunión de febrero de 1945 entre el presidente Roosevelt, el primer ministro Winston Churchill y el premier soviético Iósiv Stalin en Yalta, Crimea, donde los líderes llegaron a un acuerdo general sobre el tema de las zonas de ocupación.

Los hombres que redactaron el borrador del acuerdo de la EAC en 1944 no habían hecho ningún esfuerzo por adjudicar papeles en el asalto a Berlín, aunque parecía probable por aquel entonces que los rusos llegarían allí primero. Independientemente, los rusos trazaron planes para tomar Berlín como parte de su ofensiva de invierno, prevista para iniciarse en enero de 1945. Los británicos y los norteamericanos esbozaron como su ofensiva culminante, también en las primeras semanas de 1945, un avance desde el lado occidental del Rin hacia el noreste hasta la capital alemana. El comandante supremo aliado en Europa Occidental, el general Dwight D. Eisenhower, aseguró a los británicos que, bajo el mando del mariscal de campo sir Bernard Law Montgomery, ellos llevarían el peso principal del asalto.

Los acontecimientos parecieron resolver la cuestión de quién tomaría Berlín. A finales de febrero de 1945 los ejércitos soviéticos entraron en tromba a través de Polonia y avanzaron a lo largo del Oder hasta sólo un día de marcha de la capital alemana. Mientras tanto, norteamericanos y británicos se habían visto sacudidos por la contraofensiva sorpresa de Hitler en la región de las Ardenas de Bélgica y Luxemburgo. Aunque habían recuperado el territorio perdido en la batalla del Bulge a tiempo para la conferencia de Yalta, todavía estaban a unos 560 kilómetros de Berlín y preocupados sobre todo por forzar el Rin. Al parecer el Ejército Rojo iba a tomar Berlín a voluntad. Pero Stalin no tenía demasiada prisa; antes de asaltar Berlín, el líder soviético deseaba consolidar el territorio que había ocupado en los Balcanes y liquidar los ejércitos alemanes en el flanco norte de sus fuerzas a lo largo del Báltico.

El problema sobre la capital alemana estalló al fin a finales de marzo, pero no fue una pelea entre los líderes británicos y norteamericanos y la Unión Soviética. Más bien enfrentó a Eisenhower con los británicos, específicamente Churchill y Montgomery. Churchill había estado siempre a favor de una captura anglo-norteamericana de la capital alemana como una cuestión de prestigio: tenía la sensación de que el mundo consideraría al conquistador de Berlín como el auténtico vencedor de la guerra. También creía que la posesión de Berlín proporcionaría a los aliados occidentales una ventaja sobre los rusos después de la guerra. Montgomery, capaz de imaginar ya su entrada triunfal en Berlín, era su más ardiente partidario.

Entonces, como comandante supremo aliado en Europa, Eisenhower cambió el juego. El general decidió renunciar a Berlín como objetivo final de los aliados occidentales. Con sus fuerzas al otro lado del Rin y preparadas para golpear rápidamente hacia el este el centro mismo de Alemania, cambió el empuje principal del avance, de los británicos al norte, a los norteamericanos bajo el mando del general Omar N. Bradley en el centro del Frente del Oeste. Bradley enviaría su Duodécimo Grupo de Ejército de los Estados Unidos hacia el este, hasta Leipzig y Dresde. Los rusos, sugirió Eisenhower, podían encontrarse con el Grupo de Ejército de Bradley cerca de ese punto y partir Alemania en dos.

Eisenhower hizo el cambio por razones buenas y malas. Tenía razón en creer que Berlín, capital de un país ya derrotado, había perdido su importancia estratégica, y que como objetivo no valía las 100.000 bajas que calculaba que iba a reclamar esa batalla. Tenía intención de cambiar el énfasis del empuje de Montgomery a Bradley a fin de barrer las industrias de guerra del centro de Alemania y contrarrestar cualquier resistencia nazi fanática en las montañas del sureste de Alemania y el oeste de Austria. Eisenhower estaba en lo correcto acerca de la deseabilidad de terminar con el potencial industrial alemán. Pero estaba equivocado respecto al rumo-

El 15 de abril de 1945, cinco importantes formaciones rusas (rojo claro) se enfrentaron a Alemania a lo largo de un arco de 1.000 kilómetros que se extendía desde Pomerania al norte hasta el este de Austria al sur. Las principales fuerzas de los aliados occidentales (área gris) eran dos grupos de ejército de los Estados Unidos y un grupo de ejército británico. Las porciones de Europa aún en manos alemanas (rojo oscuro) estaban defendidas por cinco grupos de ejército y un aislado comando holandés.

reado reducto nacional alpino, la supuesta guarida donde una gran fuerza de obcecados nazis resistiría hasta el final. No existía.

Un factor importante en la decisión de Eisenhower fue probablemente el carácter de sus comandantes. Los generales norteamericanos como Bradley y el del Tercer Ejército, George S. Patton Jr., habían mostrado un talento particular para la rápida explotación de los avances en terreno enemigo; en aquel estadio del colapso de Alemania, los norteamericanos parecían tener más probabilidades de conseguir resultados más rápidos que los de Montgomery, con su genio para las batallas masivas y relativamente estáticas como el asedio de cuatro semanas de Caen en Normandía en el verano de 1944.

El 28 de marzo, Eisenhower envió una notificación al general de división John R. Deane, jefe de la misión militar de los Estados Unidos en Moscú, para que la entregara en mano a Stalin; en el mensaje ejecutaba el cambio de política que abandonaba Berlín como objetivo. Al dar un paso tan significativo sin consultar a sus superiores, Eisenhower creía que estaba actuando dentro de su autoridad como comandante supremo. Pero por si se producía alguna controversia –como era muy consciente de que podía haberla–, deseaba presentarlo como un *fait accompli*, que estaba seguro de que sus superiores apoyarían. A medida que se fue desarrollando el episodio, la actuación de Eisenhower se reveló como un movimiento extremadamente astuto.

Deane se sorprendió tanto por el radical cambio de los planes que, mientras su personal traducía el mensaje al ruso, envió un cable urgente solicitando confirmación al cuartel general de Eisenhower. Reacciones más fuertes llegaron de los británicos cuando Eisenhower les informó de que había cambiado sus planes. Churchill se puso furioso, y en una conversación telefónica obligó a Eisenhower a defender su nuevo plan punto por punto. Churchill argumentó que, pese a la reconocida autoridad del general para tratar asuntos militares con los rusos, Eisenhower no tenía los poderes necesarios para tomar una decisión política tan significativa. Eisenhower, acusó, no tenía ningún derecho a dirigirse directamente al jefe del estado soviético sobre ese tema. Además, echó humo el primer ministro, Eisenhower había invalidado un plan que Churchill y sus colegas británicos consideraban vital para el éxito de las negociaciones con los rusos sobre el futuro de Europa.

Churchill deseaba que los aliados occidentales capturaran tanto territorio como fuera posible de las áreas señaladas por la EAC para ocupación soviética, y luego retener el territorio hasta que Stalin hiciera lo que Gran Bretaña y los Estados

Con un brazal blanco en el brazo, un miembro de la Volkssturm –guardia del pueblo– ayuda a un conciudadano berlinés herido durante una incursión aérea a principios de 1945.

Unidos deseaban. Churchill estaba furioso de que los norteamericanos no compartieran su punto de vista; los británicos consideraban a los norteamericanos ajenos a los problemas europeos porque ellos no tendrían que vivir en la Europa de la posguerra. Después del día V-E, temían los británicos, los norteamericanos retirarían tantas tropas como necesitaran para acabar la guerra del Pacífico y abandonarían la Europa occidental a merced de los rusos.

La Junta de Jefes de Estado Mayor de los Estados Unidos, los superiores del comandante aliado norteamericano, respaldaron a Eisenhower hasta el fondo: admitieron que, puesto que él era el comandante supremo, y puesto que Stalin era el jefe militar además de político en la Unión Soviética, Eisenhower se había dirigido correctamente a Stalin como su contrapartida soviética a fin de coordinar dos gigantescos asaltos convergentes que corrían el peligro de colisionar.

Churchill no dejó de hacer sus observaciones directamente a Roosevelt. Pero el comandante en jefe norteamericano, que podría haber anulado la decisión de Eisenhower, no lo hizo. Roosevelt, cuya salud se estaba deteriorando, carecía de las fuerzas necesarias para luchar con sus consejeros militares, y aunque hubiera podido hacerlo, probablemente le hubieran censurado el que se opusiera a ellos en un tema sobre el que se sentían tan seguros.

No fue hasta el 31 de marzo que Deane, satisfecho con el respaldo que había pedido y recibido del cuartel general de Eisenhower, y con una traducción al ruso del mensaje del 28 de marzo de Eisenhower en la mano, acudió a visitar a Stalin. El líder soviético leyó el mensaje sobre la marcha y dijo, a través de un traductor, que por supuesto redactaría una respuesta escrita completa. Pero tras la primera lectura, declaró Stalin, estaba completamente de acuerdo con los nuevos planes del general Eisenhower; Berlín había perdido su antigua importancia y, como consecuencia, el Ejército Rojo atacaría en la dirección más al sur que indicaba Eisenhower.

Iósiv Stalin, tal como lo describió Deane, tenía «todos los atributos de un buen jugador de póquer», y acababa de jugar con sus cartas muy pegadas a su chaqueta. Una vez que la delegación se hubo ido, Stalin programó una conferencia militar al máximo nivel para el día siguiente, Pascua de Resurrección. Era un hombre intensamente suspicaz, y al parecer creyó que la renuncia de Eisenhower a Berlín significaba que su intención era precisamente la opuesta: que la capital alemana sería el siguiente objetivo anglo-norteamericano. Ahora Stalin quería apresurarse a ganar a los que llamaba en privado los «pequeños aliados» en la carrera hacia Berlín.

Las relaciones de los aliados con Stalin se habían ido deteriorando desde hacía meses. Los norteamericanos y los bri-

Hitler y uno de sus ayudantes observan los daños causados por una bomba en un edificio del gobierno a poca distancia del Führerbunker, el cuartel general subterráneo de Hitler.

tánicos habían luchado en vano por conseguir que los soviéticos aceptaran una larga lista de temas sobre los que ellos ya habían llegado a un acuerdo. Los rusos se habían mostrado obstructivos. ¿Qué había ocurrido? ¿Se debía el cambio en la política soviética a algún misterioso cambio en la política del Kremlin o al hecho de que Stalin tenía la sensación de que ya no necesitaba a los aliados occidentales? En Yalta, Stalin había parecido estar de un humor expansivo y receptivo. De hecho, parecía que al dictador soviético se le había concedido virtualmente todo lo que pedía, incluidas unas reparaciones de 10.000 millones de dólares a pagar por Alemania a Rusia después de la guerra. Pero Stalin también había hecho concesiones a sus aliados: había aceptado su petición de una zona de ocupación francesa (a tomar de las zonas anglo-norteamericanas); había aceptado –condicionalmente– entrar en la guerra contra Japón dentro de los tres meses siguientes al término de las hostilidades en Europa; y había aceptado participar en el lanzamiento de la organización de las Naciones Unidas, uno de los proyectos más queridos del presidente Roosevelt.

Pero, tan pronto como terminó la conferencia, pareció como si Stalin se dedicara deliberadamente a quebrantar los acuerdos de Yalta, y en general a oponerse y a confundir a los aliados occidentales de todas las maneras posibles. Por ejemplo, aunque Stalin había aceptado en Yalta permitir que los norteamericanos utilizaran los campos de aviación que los rusos habían capturado en Hungría como bases desde las cuales bombardear el sur de Alemania, los oficiales de las Fuerzas Aéreas de los Estados Unidos enviados a inspeccionar las bases fueron rechazados sin más explicaciones. Un equipo evaluador de los Estados Unidos al que se le prometió la admisión en los territorios soviéticos más orientales para elegir una base de bombarderos desde donde lanzar sus operaciones contra el Japón fue mantenido indefinidamente en Alaska esperando sus visados; al cabo de 21 días, el grupo regresó exasperado a casa.

Estas afrentas soviéticas a los aliados occidentales eran menores comparadas con la aparentemente sistemática violación soviética de otro compromiso de Yalta. Se había acordado que, tras la retirada alemana, los gobiernos de Polonia, Bulgaria, Rumania y Hungría deberían ser desnazificados y democratizados; habría que celebrar elecciones en las fechas más próximas posibles. Pero los gobiernos de Bulgaria, Rumania y Hungría fueron pronto tomados por los comunistas del país o convertidos en comunistas bajo las armas de los liberadores del Ejército Rojo. Se estableció una comisión de control de oficiales de las tres potencias aliadas en cada país para garantizar el juego limpio. Pero los miembros soviéticos de cada comisión frustraron las actividades de los miembros británicos y norteamericanos, por ejemplo impidiendo sus posibilidades de viajar por el país. Los aliados protestaron en vano; los soviéticos controlaban las comisiones. Sólo cuando las delegaciones rusas estimaron que las elecciones serían seguras para que su candidato obtuviera la mayoría de votos se permitió su convocatoria; de otro modo, se preparó simplemente un golpe de estado.

Polonia fue el caso más lamentable. Desde setiembre de 1939, un gobierno polaco en el exilio había aguardado en Londres la liberación de su país de la ocupación alemana; terminada ésta, el gobierno en el exilio esperaba ser bienvenido a su vuelta a Polonia, o al menos tener la posibilidad, a través de unas elecciones libres, de llegar de nuevo al poder. Sin embargo, los rusos empezaron a apartar al gobierno en el exilio de la política polaca de posguerra incluso antes de que terminara la guerra. En el verano de 1944, las fuerzas soviéticas se mantuvieron en la orilla oriental del Vístula, frente a Varsovia, mientras las unidades de las SS alemanas que ocupaban la ciudad aplastaban un alzamiento de un amplio movimiento clandestino democrático polaco que era un oponente potencial no sólo de los alemanes sino también de los soviéticos. Tras tomar Varsovia e invadir la parte occidental de Polonia, los rusos instalaron un gobierno provisional de comunistas polacos elegidos a dedo.

Desde entonces, Stalin y su ministro de Asuntos exteriores, Viacheslav M. Molótov, discutieron con los británicos y los norteamericanos sobre si –y cómo– debía ser ampliado o reorganizado el gobierno provisional para incluir a los polacos de Londres (o a cualesquiera otros aparte de las marionetas de Moscú). En el proceso, los soviéticos consiguieron frustrar cualquier cambio sustancial en la composición del gobierno polaco. El 7 de abril de 1945, Stalin se declaró satisfecho con el *statu quo* en un revelador mensaje a Roosevelt: «Los asuntos sobre la cuestión polaca han alcanzado realmente un callejón sin salida». El presidente norteamericano, que a menudo alardeaba de que él podía «manejar al tío Joe», había sido de hecho hábilmente manipulado por Stalin.

En marzo, Stalin había informado a Roosevelt de que simplemente no podía prescindir de Molótov para que representara a Rusia en la próxima convocatoria de las Naciones Unidas en San Francisco, la culminación de tres años de planificación internacional para establecer un reemplazo a la moribunda Liga de Naciones. Con la sensación de que la decisión soviética era una reacción a las actitudes norteamericanas respecto al gobierno de posguerra de Polonia, Roosevelt se mostró particularmente moderado en sus tratos con

EL PLAN DE LOS ALIADOS PARA REPARTIRSE EL REICH

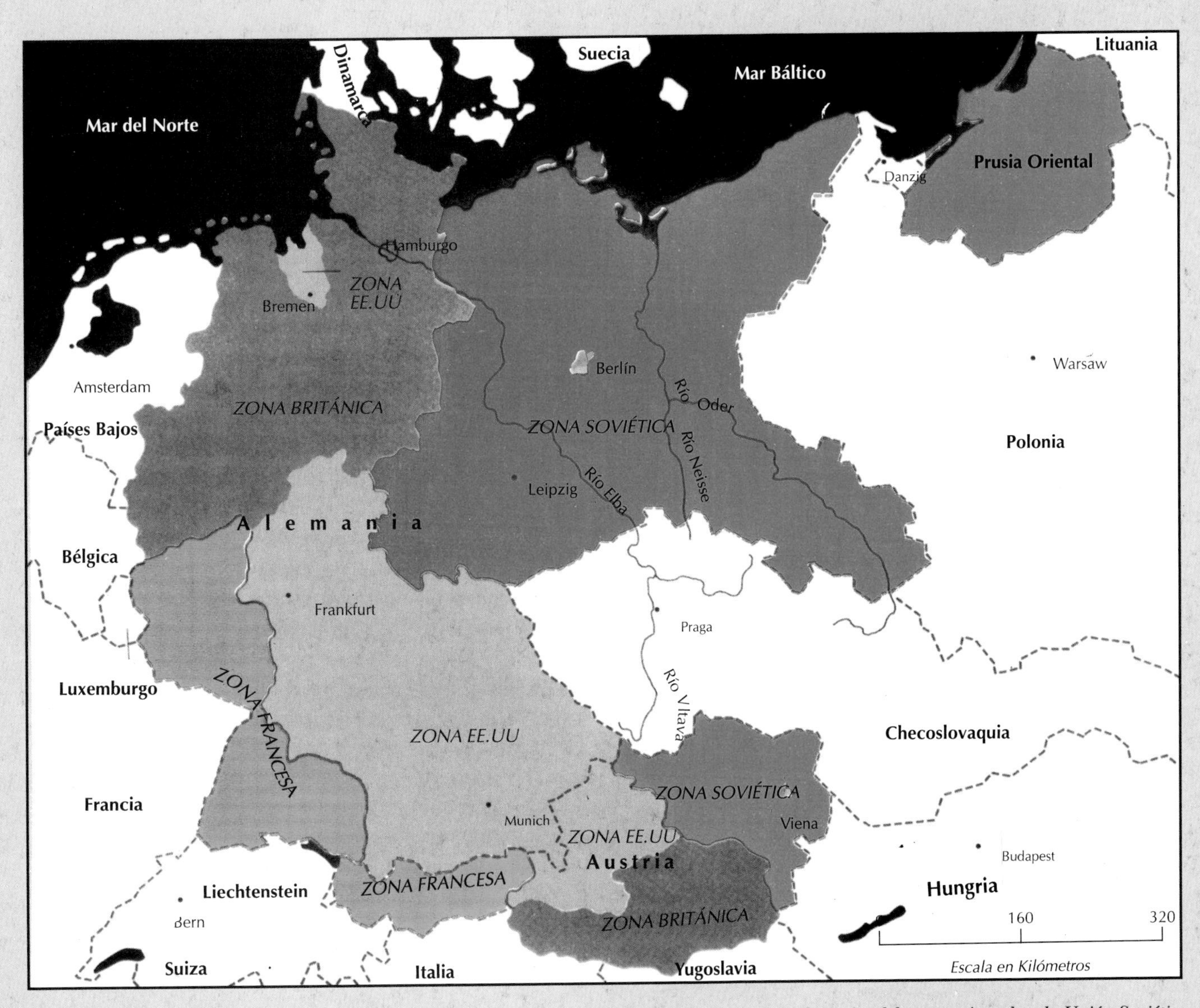

Planeada a finales de 1944, la división de Alemania en zonas de ocupación situó a Berlín muy en el interior del sector asignado a la Unión Soviética.

Las últimas semanas de lucha en Europa se vieron influenciadas en ambos bandos por el plan de ocupación aliado de posguerra. El plan dividía Alemania –así como la ciudad de Berlín– en tres zonas separadas de ocupación, cada una asignada a una de las principales potencias aliadas. (Las zonas francesas fueron tomadas más tarde de las zonas británica y norteamericana.) Austria y Viena fueron repartidas siguiendo las mismas líneas.

El plan tuvo un efecto no pretendido sobre la batalla de Berlín. A mediados de abril, elementos del Noveno Ejército de los Estados Unidos habían alcanzado el río Elba, muy en el interior de la zona rusa. Eso situó la capital alemana aproximadamente a medio camino entre los norteamericanos, que avanzaban rápidamente, y los rusos, aposentados en los ríos Oder y Neisse.

Pero Eisenhower ordenó a sus comandantes que se detuvieran. Un avance anglo-norteamericano sobre Berlín sería costoso, y no estaba dispuesto a sacrificar las vidas de tropas norteamericanas para capturar un territorio que creía que iban a tener que entregar a los rusos. En efecto, el plan de ocupación había ayudado a asegurar que Berlín cayera solamente ante el ejército rojo.

El alto mando alemán conocía el plan de ocupación por una copia que había sido capturada en enero de 1945; una carta hallada junto a ella hablaba de una rendición incondicional y del desmembramiento de Alemania. Las inflexibles intenciones de los aliados reforzaron la resistencia alemana, y probablemente prolongaron la guerra.

Stalin sobre el problema. Irónicamente, sólo la muerte de Roosevelt y una llamada personal de Averell Harriman, el embajador norteamericano en Moscú, persuadieron a Stalin de enviar a Molótov a la convocatoria de las Naciones Unidas como un gesto de homenaje al presidente fallecido.

Al mismo tiempo, Harriman estaba soportando todo el peso de una disputa particularmente virulenta con los rusos sobre la Operación *Sunrise* (Salida del sol), un complejo y en ocasiones absurdo esfuerzo de los agentes de la OSS (*Office of Strategic Services*, Oficina de Servicios Estratégicos) de los Estados Unidos para arreglar una rendición de las fuerzas alemanas en el norte de Italia. *Sunrise* era un esfuerzo que valía la pena emprender, porque Italia era un cruel teatro abocado a un callejón sin salida. Desde su invasión del sur de Italia en julio de 1943, los aliados habían sufrido unas 300.000 bajas y habían avanzado hacia el norte sólo 560 kilómetros, una media de menos de 29 kilómetros al mes. Los alemanes, que se habían agrupado en el montañoso borde sur del valle del río Po, contaban todavía con un millón de tropas. Una de las unidades alemanas, el Grupo de Ejército C, mandado por el mariscal de campo Albert Kesselring, era probablemente la fuerza más poderosa de la que disponía ahora Hitler.

La operación *Sunrise* se inició en febrero de 1945, cuando el general de las SS Karl Wolff envió el aviso de que deseaba discutir una rendición alemana con las autoridades aliadas responsables. Wolff, el oficial de las SS de más alto rango en Italia, era el plenipotenciario militar a cargo de la seguridad y otros asuntos de ocupación en las áreas de la retaguardia alemana, y el controlador de la república fascista marioneta que era la reliquia del caído régimen de Benito Mussolini. Para transmitir su mensaje, Wolff envió a un congraciador barón italiano llamado Luigi Parrilli a Berna, Suiza, donde tenía su cuartel general Allen Dulles, jefe de las operaciones de inteligencia de los Estados Unidos en Europa. Aunque escéptico al principio, Dulles se fue interesando gradualmente en la oferta de Wolff, y asignó a su mano derecha en Europa, un germano-norteamericano llamado Gero von Schulze Gaevernitz, para que hablara con Parrilli.

Se fijó un encuentro de Parrilli con el mayor Max Waibel, un amigo de Dulles en el servicio de inteligencia suizo. Puesto que los financieros suizos tenían importantes intereses económicos en el norte de Italia que podían resultar destruidos en el transcurso de una lucha total entre alemanes y aliados, Waibel actuaba con la bendición tácita de su gobierno. A primeros de marzo, uno de los hombres de Waibel dispuso las cosas para una reunión con el representante personal de Wolff, Eugen Dollmann, en Lugano, cerca de la frontera italiana. Dollmann era un coronel de las SS que había vivido en Italia durante años antes de la guerra.

El hombre de Waibel escoltó a Dollmann y a un asociado a una sala privada en un restaurante, donde estuvieron aguardando durante varias horas antes de que apareciera el agente de Dulles. Mientras aguardaba, se le dijo tácitamente a Dollmann que informara a Wolff de que los únicos términos aceptables eran una rendición incondicional, y que Wolff no conseguiría nada si intentaba enfrentar a los aliados occidentales contra la Unión Soviética. Cuando llegó el agente de la OSS, a Dollmann se le dijo también que Dulles apreciaría un gesto de buena fe, la liberación de dos líderes partisanos italianos capturados.

A los cinco días, Wolff había respondido. No sólo había liberado a los partisanos, sino que se apresuraba, vestido de civil, a Suiza para hablar personalmente con Dulles. Tras una adecuada cantidad de maniobras subterráneas, Dulles se reunió con Wolff y Gaevernitz en un apartamento de Zurich, junto a una llameante chimenea. (Dulles confiaba en el efecto alentador de un buen fuego de leña, que parecía lo más apropiado ahora que Wolff estaba demostrando buena fe.)

Desde el primer contacto, los norteamericanos habían averiguado muy poco sobre Wolff; quizá se hubieran negado a tratar con él de haber sabido más. Sabían que Wolff había sido oficial de enlace entre el mando superior de las SS y el cuartel general de Hitler, que había sido favorecido con rápidos ascensos, y que era llamado afectuosamente «Wolffchen» por Himmler. Lo que no sabían, sin embargo, era que como ayudante de Himmler Wolff se había visto implicado en la planificación de los campos de la muerte en Polonia, ni que había escrito a un oficial de «transporte» de las SS expresando su «especial alegría ahora que 5.000 miembros del Pueblo Elegido van a Treblinka cada día». (La carta fue desenterrada después de la guerra, y fue usada en el juicio contra Wolff como criminal de guerra para acusarle; fue enviado 15 años a prisión.) Tampoco se detuvieron los norteamericanos a considerar que los destacamentos de policía de Wolff en Italia torturaban por rutina a los sospechosos de ser partisanos, ejecutaban rehenes, y habían sido responsables de masacres de pueblos enteros. Para los norteamericanos, Wolff era un oficial limpio e inteligente que no emitía falsas notas y que parecía genuinamente ansioso por evitar derramamientos de sangre y destrucciones inútiles.

En la reunión al lado del fuego con Dulles, Wolff ofreció un programa atractivo y concreto que incluía una proposición de rendición de 200.000 hombres. La mayoría de ellos eran fascistas italianos, que no se habían rendido a los aliados cuando Italia capituló en 1943, pero también incluía a

80.000 miembros de la policía y las tropas de ocupación alemanas. Lo más importante era que Wolff persuadiría al mariscal de campo Kesselring, que mandaba 500.000 hombres, a unirse a él en la rendición. Por sus conversaciones con Kesselring, Wolff –que actuaba como consejero político del mariscal de campo– creía que podía ser persuadido de aceptar un esfuerzo de paz.

Escuchando a Wolff, Dulles pilló la fiebre de *Sunrise*. Tras la conferencia, envió a sus superiores de la OSS en Washington un informe enormemente optimista en el que describía a Wolff como una personalidad «distinguida» y «dinámica». Las propuestas de Wolff suscitaron también esperanzas de un alto el fuego en el mariscal de campo británico sir Harold Alexander, el comandante en jefe aliado en Italia, que estaba planeando una ofensiva de primavera pero que se sentiría muy contento de poder evitarla. Sin embargo, el optimismo de Dulles y las esperanzas de Alexander eran prematuros. Los planes de Wolff se vieron rápidamente desbaratados cuando Kesselring fue llamado a Berlín para recibir un nuevo destino como comandante del Frente del Oeste.

Ese cambio de personal significaba que Wolff debería proselitizar al sustituto de Kesselring, el general Heinrich-Gottfried von Vietinghoff. Aunque Vietinghoff demostró estar ansioso por poner fin a la guerra, tenía sus escrúpulos: puesto que creía que tan sólo era un sustituto temporal de Kesselring (al que había servido durante años como ayudante y comandante auxiliar), no le gustaba entregar el Grupo de Ejército C en su propio nombre.

Durante estos preliminares, el Combinado de Jefes de Estado Mayor de los aliados decidió enviar su propio representante a las conversaciones; a sugerencia de Churchill, consideraron también el poner al corriente a los rusos de la situación. Influenciados por los norteamericanos, excitados ante las posibilidades de una rendición alemana en Italia auspiciada por los Estados Unidos, pero convencidos de que la participación soviética en las primeras conversaciones podía arruinar cualquier posibilidad de éxito, los jefes de estado mayor llegaron a un consenso: informarían a los rusos, pero les impedirían participar, sobre la razonable base de que se trataba de una rendición militar local del mismo tipo que la Unión Soviética había aceptado en el Frente del Este sin molestarse en comunicársela a los aliados occidentales.

Los soviéticos sabían ya que se estaba preparando algo; las misteriosas idas y venidas de Wolff y otros a través de la frontera suiza-italiana habían sido observadas por los agentes de la inteligencia rusa en la zona, y esto había agravado su crónica suspicacia. Creían que la operación *Sunrise* era un complot anglo-americano para negociar una paz separada con el Reich que liberaría a las tropas alemanas para luchar contra la unión soviética.

Las noticias de la operación *Sunrise* llegaron a la oficialidad rusa el 11 de marzo cuando, a instancias del Combinado de Jefes, Harriman abordó el tema de las conversaciones en un memorándum a Molótov. Harriman recibió de inmediato una respuesta de Molótov nombrando a tres oficiales soviéticos para asistir a las conversaciones. Los aliados occidentales rechazaron rápidamente dejar que los rusos acudieran a las conversaciones, una respuesta que Molótov describió como «absolutamente inesperada e incomprensible». No habría reuniones de ninguna clase, dijo, a menos que se permitiera asistir a los representantes soviéticos.

Los aliados occidentales intentaron apaciguar los temores de Stalin enviando a Moscú informes de todos los desarrollos de *Sunrise*. Desgraciadamente, había poco de lo que informar. Wolff visitó a Kesselring en el Frente del Oeste, y el mariscal de campo aceptó recomendar a Vietinghoff la rendición. (Pero, le dijo Kesselring a Wolff, él no rendiría el mando de su nuevo Frente del Oeste, no mientras su juramento militar de lealtad personal a Hitler siguiera en vigor.)

Stalin se negó a creer que estaba siendo informado de los auténticos progresos de *Sunrise*. El 3 de abril envió un mensaje a Roosevelt que imputaba doble juego por parte de los norteamericanos y británicos: «Mis colegas militares, sobre la base de los datos que poseen, no tienen ninguna duda de que las negociaciones han tenido lugar, y que han terminado en un acuerdo con los alemanes, sobre cuya base el comandante alemán del Frente del Oeste, el mariscal de campo Kesselring, ha aceptado abrir el frente y permitir a las tropas anglo-norteamericanas avanzar hacia el este, y los anglo-norteamericanos han prometido a cambio suavizar los términos de la paz para los alemanes. Creo que mis colegas están cerca de la verdad».

El presidente Roosevelt, cuya salud se estaba deteriorando rápidamente, contestó con una enérgica nota, escrita para él por el jefe de estado mayor del ejército de los Estados Unidos general George C. Marshall y por el almirante William Leahy, el jefe de estado mayor personal de Roosevelt y presidente en funciones de la junta de jefes. «Es sorprendente –decía el mensaje– que el gobierno soviético parezca haber alcanzado la creencia de que yo he llegado a un acuerdo con el enemigo sin obtener primero su completo acuerdo... Sería una de las grandes tragedias de la historia si, en el momento mismo de la victoria que ahora tenemos al alcance de la mano, esta desconfianza, esta falta de fe, perjudicara toda la empresa tras la colosal pérdida de vidas, material y tesoro implicados. Francamente, no puedo evitar el sentir un amargo resentimiento hacia sus informadores, sean quienes sean, por una malinterpretación tan vil de mis acciones y las de mis subordinados de confianza.»

Esta furiosa afirmación suscitó una más templada respuesta de Stalin: «Nosotros los rusos creemos que en la actual situación en los frentes, cuando el enemigo se halla enfrentado a una inevitable rendición, si los representantes de cualquier potencia aliada se reúnen alguna vez con los alemanes para discutir la rendición, los representantes de las demás potencias aliadas deben tener la oportunidad de participar en esas reuniones. En cualquier caso, esto es absolutamente esencial si las potencias aliadas en cuestión solicitan esta participación».

Los rusos parecían dispuestos ahora a olvidar el asunto, y Roosevelt se sintió enormemente feliz por ello; la ofensiva de primavera del mariscal de campo Alexander se había iniciado en el valle del Po el 9 de abril, y estaba avanzando firmemente. El espinoso asunto se resolvió de forma definitiva el 2 de mayo, cuando se produjo la rendición de las tropas alemanas en Italia tras intermitentes negociaciones..., realizadas con la asistencia de los delegados soviéticos.

El 1 de abril, Stalin celebró su reunión de estado mayor para reaccionar al mensaje de Eisenhower sobre Berlín. Siete miembros del poderoso Comité de Defensa del Estado Soviético asistieron a la reunión. Lo mismo hicieron dos de los más prominentes generales de la Unión Soviética, los hombres que mandarían los principales asaltos en la ofensiva de Berlín: el mariscal Gueorgi Zhúkov y el mariscal Iván S. Kóniev. Cada uno mandaba un grupo de ejército (la palabra rusa que lo designa se traduce como «frente»), llamado según la zona de la Unión Soviética que había recibido la misión de liberar en 1944. Zhúkov conducía el Primer Grupo de Ejército Bielorruso, Kóniev el Primero Ucraniano.

Zhúkov y Kóniev habían sido fundidos en el mismo molde. Ambos eran hijos de campesinos. Ambos eran rusos étnicos, un factor de no pequeña importancia en sus carreras: oficiales rusos producto del más grande de los ciento y pico de los grupos étnicos de la Unión Soviética ocupaban la gran mayoría de los puestos clave en el Ejército Rojo, y poseían un gran sentido del clan. Aunque Zhúkov era bajo y Kóniev alto, ambos mariscales tenían pecho de barril, hombros anchos, rostro cuadrado, y estaban a punto de cumplir los cincuenta. Aparte el hecho de ser físicamente imponentes, ambos tenían una reputación de dureza rayana en la insensibilidad.

(En una ocasión, Kóniev alardeó, hablando de una batalla durante la campaña del Dniéper: «Dejamos que los cosacos cortaran todo lo que quisieran. Incluso cortaron las manos de aquellos que se les rindieron».)

Durante sus primeros nueve años en el Ejército Rojo, al que se unió en su creación en 1917, Kóniev sirvió como comisario, el oficial del Partido Comunista al que se asignaba controlar el comportamiento político y la confianza ideológica de una unidad militar. Se convirtió en oficial de campo regular en 1926, después de estudiar ciencias militares en la Academia Frunze, la escuela del Ejército Rojo en el sur de la Rusia central. A partir de entonces Kóniev fue ascendiendo regularmente, hasta alcanzar el mando de un ejército al inicio de la Segunda Guerra Mundial.

La reputación de Zhúkov como hombre duro descansaba en su actitud no sólo hacia el enemigo sino hacia sus propios subordinados. En una ocasión Zhúkov redujo a un general a un rango inferior y lo envió a la muerte en una carga suicida a la bayoneta como consecuencia de la opinión impremeditada, discutida por el inmediato superior del general, de que el general había actuado con poca energía. Pese a tales excesos, Zhúkov se había convertido en un héroe popular deteniendo el avance relámpago alemán del invierno de 1941-1942 a las puertas de Moscú. Como comandante de combate y coordinador de campaña del alto mando soviético, Zhúkov había ganado muchas batallas, desde Stalingrado en

Un cartel alemán exige venganza para los habitantes del pueblo de Metgethen, en Prusia Oriental, un lugar donde el Ejército Rojo cometió supuestas atrocidades. Los propagandistas nazis explotaron informes de violaciones y masacres para reforzar la resistencias del exhausto ejército alemán, terriblemente superado en número.

adelante. Los generales alemanes lo juzgaban el mejor de los comandantes rusos, aunque no era ni con mucho un táctico sutil. En un estadio avanzado de la guerra, Zhúkov era simplemente más enérgico que otros en el uso de la creciente ventaja de la Unión Soviética en efectivos humanos, artillería pesada y tanques.

Las relaciones entre estos dos gigantes militares eran malas, como cabía esperar. El éxito de Kóniev irritaba a Zhúkov y a otros oficiales de campo, que consideraban a los comisarios soldados de segunda clase, a menudo con fundamento, puesto que eran elegidos principalmente por sus habilidades políticas antes que militares. Para Kóniev (y un cierto número de otros generales soviéticos), la eminencia de Zhúkov era en gran parte resultado de la buena suerte y de un no disimulado favoritismo por parte de Stalin. Kóniev tenía intención de sacar el máximo provecho de la ofensiva de Berlín, que consideraba como una última posibilidad de igualarse a puntos con Zhúkov en una competencia que Stalin, un hábil juez de hombres, había establecido hacía tiempo como un medio de impulsar a ambos generales a mayores logros.

Bajo la presidencia de Stalin, la reunión del Comité de Defensa se inició con una nota de secreto y conspiración. A una señal de Stalin, el general Sergei M. Shtemenko, el jefe de operaciones del estado mayor general, leyó un revelador telegrama de un espía anónimo. El mensaje esbozaba la campaña aliada que se estaba preparando antes del cambio de planes de Eisenhower; preveía un ataque a Berlín. Stalin no hizo referencia a la carta de Eisenhower del 25 de marzo renunciando a Berlín como objetivo anglo-norteamericano. Cuando Shtemenko terminó de leer, Stalin planteó la obvia pregunta: «Bien, ¿quién va a tomar Berlín, nosotros o los "aliados"?».

En sus memorias, Kóniev se adjudica a sí mismo la siguiente frase: «Nosotros vamos a tomar Berlín, y lo haremos antes que los aliados». A partir de lo cual Stalin les dijo a Zhúkov y Kóniev que desarrollaran sus planes de ataque con el estado mayor general para su aprobación y regresaran al frente tan pronto como fuera posible para iniciar el redespliegue. Tras lo cual abandonó la habitación.

Zhúkov y Kóniev se pusieron de inmediato al trabajo con los miembros de más alto rango del estado mayor general. Al parecer, se suponía que Zhúkov coordinaría toda la operación, una tarea difícil que hacía más dura aún el hecho de que el mariscal Konstantin K. Rokossovski, comandante del Segundo Grupo de Ejército Bielorruso, que tenía asignado cubrir el flanco norte de la ofensiva de Berlín, estaba ausente, ocupado en eliminar la resistencia alemana en la costa del Báltico. Estas actividades de limpieza en el norte, resultaba evidente, impedirían que pudiera unirse a cualquier ataque hacia el oeste hasta casi últimos de abril.

Los planes que surgieron exigían una operación masiva pero esencialmente sencilla. Los tres grupos de ejército soviéticos tenían que destruir los dos ejércitos del Grupo Vístula del ejército alemán y un ejército del Grupo Centro que estaban defendiendo el este de Alemania. En el proceso, las fuerzas rusas invadirían todo el territorio desde la línea Oder-Neisse hasta la línea Elba-Mulde, desde el Báltico hasta la frontera con Checoslovaquia. En el norte, a lo largo del Oder inferior, el grupo de ejército de Rokossovski tenía que atacar hacia el oeste, luego girar hacia el norte. En el centro, los ejércitos de Zhúkov, alineados a lo largo del Oder medio y marcando el cerco sobre Berlín, golpearían directamente hacia el oeste en dirección al Grupo de Ejército Vístula y rodearían la capital. Las fuerzas de Kóniev empujarían hacia el oeste y el noroeste, luego montarían un ataque secundario al sudoeste hacia Dresde que se desarrollaría en un asalto a Praga contra el Grupo de Ejército Centro. Zhúkov y Kóniev decidieron que el 16 de abril era la fecha más próxima en la que podían abrir la ofensiva. Con eso, iniciarían su ataque unos pocos días antes de que Rokossovski pudiera empezar el suyo.

Cuando el plan fue presentado a Stalin, éste trazó una línea divisoria entre los grupos de ejército de Zhúkov y Kóniev, y dejó confusa aquella distinción aparentemente de rutina del modo más significativo. La línea que trazó iba desde el oeste hasta bien al sur de Berlín, reservando aparentemente la capital como premio para Zhúkov. Pero Stalin extendió la línea divisoria sólo hasta Lübben –a unos 70 kilómetros al sudoeste de Berlín–, una ciudad que se suponía que Kóniev debía alcanzar al tercer día de la ofensiva. Kóniev se dio cuenta al instante de que Stalin le estaba desafiando a desviarse hacia el norte desde Lübben para ganarle a Zhúkov en su entrada a Berlín, y tuvo la sensación de que Zhúkov lo entendía del mismo modo. Más tarde, Stalin le dijo al general Shtemenko: «El que llegue primero a Berlín..., que la tome».

Desde el Kremlin, los dos comandantes se apresuraron al Aeropuerto Central de Moscú para volver a sus cuarteles generales; estuvieron en el aire con dos minutos de diferencia el uno del otro. A partir de entonces, como indicó Kóniev, citando un antiguo dicho ruso, «apenas tuvimos tiempo de ir a buscar nuestros sombreros y guantes».

En las siguientes dos semanas el Ejército Rojo completó su más rápido despliegue a gran escala de la Segunda Guerra Mundial, bajo la supervisión del mariscal Zhúkov. Aunque la mayor parte de las fuerzas estaban acampadas a lo largo del

Oder desde febrero, Zhúkov tenía que situar dos ejércitos en posición para reforzar su flanco norte, que quedaría expuesto en el momento de lanzar su ataque, hasta que los ejércitos al mando de Rokossovski pudieran forzar el Oder y romper las cabezas de puente a lo largo de su orilla oeste.

Kóniev tenía muchos más movimientos de unidades que efectuar. Sus tropas apenas habían terminado con una dura lucha en Silesia, al sur de Polonia, cuando Stalin anunció la ofensiva sobre Berlín; la guarnición alemana en Breslau (nombre alemán de la ciudad polaca de Wrocklaw) aún resistía (finalmente Kóniev la dejó morir de hambre). Puesto que la dirección de su avance lo había llevado hasta Checoslovaquia, Kóniev necesitó mover numerosas divisiones a fin de hacer girar su fuerza principal hacia el norte y situarla en posición para el nuevo ataque. También tuvo que preparar muchos reemplazos para las numerosas bajas; para conseguir esto, Stalin reforzó a Kóniev con dos ejércitos que habían sido asignados al Báltico oriental.

Las demandas logísticas de la ofensiva eran inmensas, y cumplirlas fue un logro fenomenal. La única línea de ferrocarril directa hasta Alemania desde la Unión Soviética era la Moscú-Berlín, que los alemanes destruyeron en su retirada; tuvo que ser reconstruida por los soviéticos. La mayor parte de los suministros –incluidos los dados en préstamo y arriendo por los Estados Unidos y que entraban en la URSS a través del Golfo Pérsico, Múrmansk y el Extremo Oriente– tenían que llegar a la capital soviética, luego recorrer más de 1.500 kilómetros hasta los depósitos cerca del Oder, para desde allí ser redistribuidos al norte y el sur. Más tarde, Zhúkov escribió, con su fina agudeza para popularizar los detalles, que los trenes de suministros, si fueran estacionados uno detrás del otro, cubrirían una longitud de 1.200 kilómetros, y que se necesitaron 78.000 vagones de carga para transportar los 7.147.000 proyectiles de artillería adjudicados a las fases de apertura de la ofensiva. El trabajo de aprovisionamiento fue realizado por incontables miles de tropas de apoyo y trabajadores civiles que también ayudaron a cavar los emplazamientos para las armas pesadas (unas 100 por kilómetro) en la línea de Zhúkov, construir puentes e instalaciones de almacenaje, y tender innumerables kilómetros de hilo telefónico.

El cuartel general soviético estableció un programa de entrenamiento especial para la ofensiva. Los ingenieros del Ejército Rojo construyeron un modelo a gran escala del gran Berlín –todos sus 880 kilómetros cuadrados– y todos los comandantes de los ejércitos, comandantes de los cuerpos, jefes de estado mayor, comandantes de artillería y oficiales políticos

EL ÚLTIMO REFUGIO DE HITLER

El 16 de enero de 1945, Hitler trasladó su cuartel general de Bad Nauheim, al oeste de Berlín, a un búnker que había ordenado construir bajo el jardín de la Cancillería del Reich, cerca del centro de la capital. Reducido y mal ventilado, con un sistema de comunicaciones que consistía en un receptor de radio, un radioteléfono y una centralita telefónica, el *Führerbunker* parecía una absurda elección para el cuartel general supremo del Reich. Pero Hitler lo prefería al sofisticado búnker de mando del OKW de sus generales en Zossen, a unos 30 kilómetros de distancia, una preferencia basada, quizá, en una desconfianza hacia sus generales como consecuencia de un intento de asesinarle el verano anterior.

Fueran cuales fuesen sus deficiencias como cuartel general o como hogar, el *Führerbunker* era virtualmente inexpugnable, tanto por las bombas aliadas como por los complotadores alemanes. El techo estaba formado por 5 metros de cemento, las paredes tenían 2 metros de grosor, y toda la estructura estaba enterrada casi dos metros bajo el suelo. Su principal debilidad era el terreno pantanoso de Berlín, que tenía una gran tabla de agua; si una bomba grande estallaba lo bastante cerca como para que las paredes del búnker se cuartearan, todos los ocupantes de la estructura podrían ahogarse. Dentro del búnker, el retumbar del agua era tan sólo un débil sonido de fondo, aunque cuando una bomba caía cerca toda la estructura temblaba y las lámparas del techo oscilaban. Todos los visitantes, independientemente de su rango, eran desarmados, registrados, luego se les requería que mostraran sus pases en los puntos de control de las SS.

El búnker tenía 19 habitaciones. Aparte de Hitler, albergaba a unos cuantos guardias, ayudantes, sirvientes personales y médicos. Después de mediados de abril, los residentes fijos incluyeron a la amante del Führer, Eva Braun, y al jefe de propaganda nazi, Joseph Goebbels.

Aunque casi todos los demás, incluida Eva, escapaban periódicamente de la opresiva atmósfera del búnker, «Der Chef» lo abandonaba muy raras veces, y cuando lo hacía era tan sólo por unas pocas horas como máximo. La última ocasión formal fue el 20 de abril, para asistir a una celebración en la Cancillería del Reich con motivo de su 56 cumpleaños. Diez días más tarde, de vuelta en el búnker, se quitó la vida, uno de los más de 50 millones de víctimas de la guerra que había empezado casi seis años antes.

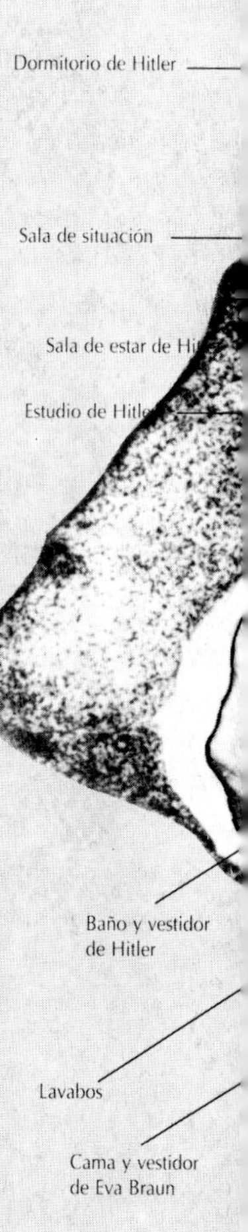

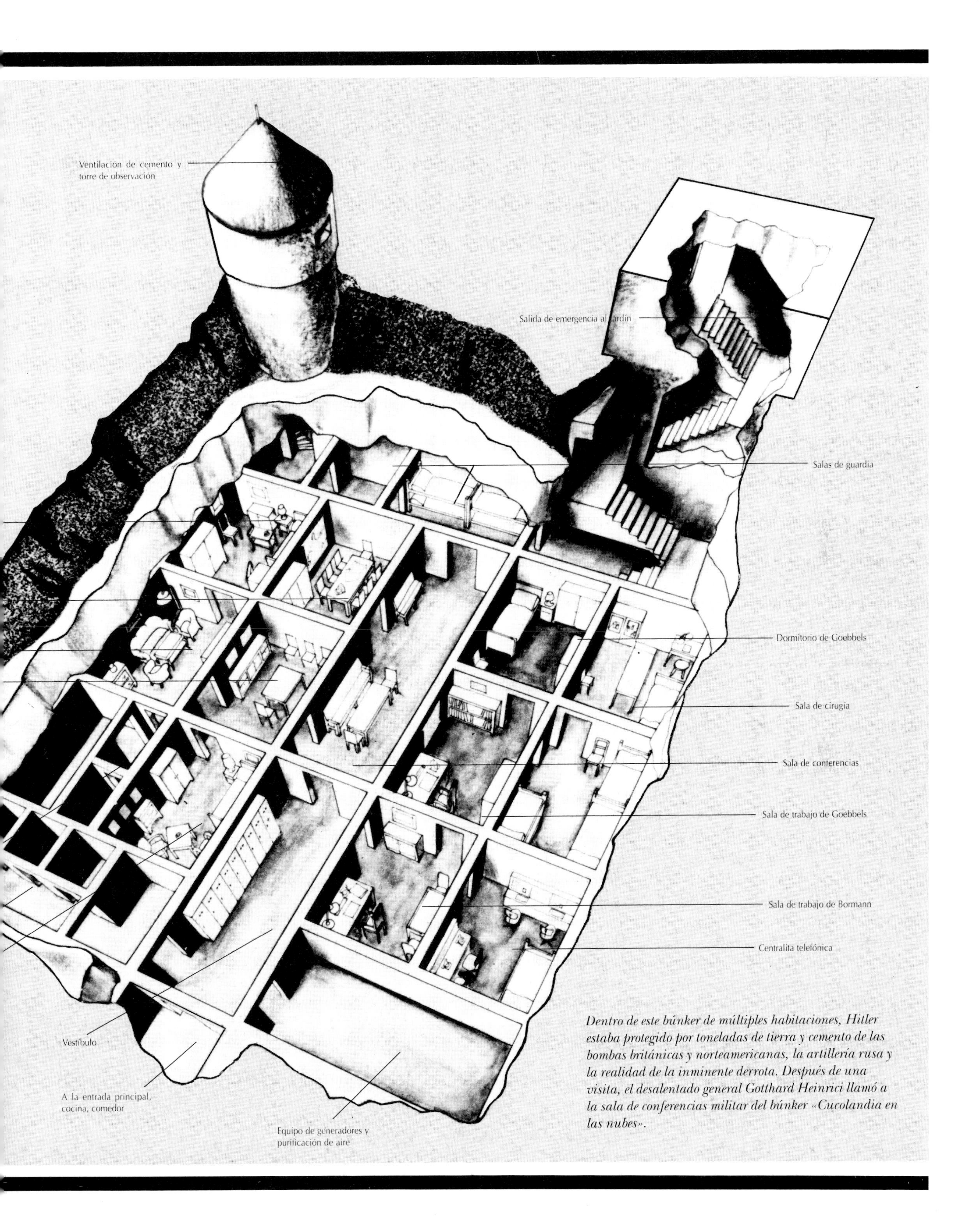

Dentro de este búnker de múltiples habitaciones, Hitler estaba protegido por toneladas de tierra y cemento de las bombas británicas y norteamericanas, la artillería rusa y la realidad de la inminente derrota. Después de una visita, el desalentado general Gotthard Heinrici llamó a la sala de conferencias militar del búnker «Cucolandia en las nubes».

recibieron órdenes de seguir un curso en el cuartel general. Las unidades de combate fueron aleccionadas en las defensas y tácticas del enemigo con las que deberían enfrentarse; hacia mediados de abril empezaron a adquirir experiencia práctica durante las misiones de reconocimiento realizadas al oeste del Oder, expediciones que normalmente condujeron a feroces luchas con las fuerzas defensoras alemanas. Zhúkov utilizó estas incursiones para expandir su cabeza de puente al norte y al sur de la ciudad de Küstrin tanto como 15 kilómetros y más de profundidad hasta un anillo de terreno pantanoso; necesitaba espacio para todas las fuerzas y material que tenían que estar preparados en la orilla occidental del Oder para su primer gran salto adelante el 16 de abril.

Al final de las dos semanas de intensa preparación, las fuerzas soviéticas a lo largo de la línea Oder-Neisse habían incrementado sustancialmente sus enormes ventajas sobre los tres ejércitos alemanes que tenían delante. Zhúkov tenía 77 divisiones de fusileros y siete cuerpos acorazados frente a las 14 divisiones de infantería y panzer del Noveno Ejército alemán; 3.155 tanques y cañones autopropulsados frente a los 512 del Noveno; 16.934 cañones y morteros (los rusos contaban los morteros pesados como artillería) ante unos 700 cañones del Noveno. Rokossovski tenía 33 divisiones de fusileros y cuatro cuerpos acorazados ante las 11 divisiones surtidas del Tercer Ejército Panzer; 951 tanques y cañones autopropulsados ante 242; 6.642 cañones y morteros ante 600 piezas de artillería variada. Kóniev alardeaba de una superioridad ante el Cuarto Ejército Panzer de entre tres y cinco por uno en lo referente a hombres, tanques y cañones.

El material ruso era de buena calidad. Aunque los blindajes soviéticos estaban toscamente terminados y normalmente sin pintar, los tanques pesados Stalin de 52 toneladas, los tanques medios T-34 y los cañones autopropulsados de largo alcance SU de 122 mm podían equipararse a cualquier cosa que tuvieran los alemanes en su cada vez más vacío arsenal. Juntos, los tres grupos de ejército soviéticos disponían aproximadamente de 100.000 camiones, virtualmente todos norteamericanos, para transportar las tropas de reemplazo; algunas tropas soviéticas eran transportadas por vía aérea. En aviones, los Messerschmitts y los Focke-Wulfs de la Luftwaffe se veían paralizados por la falta de combustible y habían perdido su ventaja técnica ante los nuevos y mejorados aviones de caza soviéticos, notablemente el Yak-9 y el La-7. Los ases de la Luftwaffe que en sus tiempos se habían anotado 200 derribos y más estaban ahora muertos o habían sido ascendidos a mandos en tierra, y sus medio entrenados sucesores se vieron pronto abrumados por los tres ejércitos del aire soviéticos que respaldaban a las tropas de tierra.

Los alemanes, con sus efectivos humanos reducidos y sus fábricas paralizadas, no podían reunir nada capaz de enfrentarse a la ingente acumulación soviética. Los errores de juicio de Hitler acerca de los planes soviéticos y su mal manejo de los efectivos humanos y de material disponibles debilitaron aún más su última línea de defensa.

En los tres meses anteriores a la ofensiva de Berlín, el Führer hubiera podido reunir varios cientos de miles de tropas más para defender la línea Oder-Neisse –o cualquier frontera alemana– si hubiera aceptado el consejo de sus generales de evacuar territorios como Noruega y el norte de Italia, que de todos modos no podían ser mantenidos contra la avalancha aliada. Pero, para Hitler, cualquier retirada era anatema. Su insistencia en defender la región del Báltico contra Rokossovski, en vez de traer de vuelta sus ejércitos al otro lado del Oder, le costó decenas de miles de hombres muertos o hechos prisioneros. En un inútil intento de recapturar Budapest, tomada por los rusos el 12 de febrero de 1945, Hitler envió al Sexto Ejército Panzer SS del Frente del Oeste a la zona del lago Balatón en Hungría, donde sus cuatro divisiones fueron sangradas copiosamente en vanos ataques contra las enormes fuerzas soviéticas.

Luego, tras no haber hecho nada para fortalecer las defensas de la línea Oder-Neisse, Hitler empezó a retirar hombres de ellas. El 2 y el 3 de abril, transfirió una división panzer y una división de granaderos panzer al Grupo de Ejército Sur a fin de defender Viena..., demasiado tarde. Antes, hacia finales de marzo, había enviado una división panzer al Grupo de Ejército Centro con la finalidad de defender Praga de un sospechado ataque soviético..., demasiado pronto.

El comandante del Grupo de Ejército Centro se sintió complacido pero no sorprendido por el regalo de los blindados de Hitler, y se sintió encantado pero no abrumado por su ascenso de general a mariscal de campo durante su visita a Berlín aquel mismo día. Su nombre era Ferdinand Schörner, era un conocido veterano del Frente del Este, y se sentía confiado por el conocimiento de que era el tipo de soldado que su Führer admiraba: un alto, recio, vociferante oficial nazi que sabía cómo empujar con fuerza a sus soldados.

Muchos consideraban a Schörner un bruto carente de talento. Un oficial de estado mayor con mucha experiencia escribió que el mariscal de campo «difundía miedo y alarma por su aspecto severo y fanfarrón, no importaba de qué se tratara. Los detalles dentro de la esfera del mando no le interesaban». Un general algo más amistoso proporcionó a Schörner una puntuación decente en táctica práctica, otros le concedían el crédito de cuidar de sus hombres y un inne-

El general Heinrici hace una pausa para charlar con los miembros del equipo de una instalación de cañones antitanque en el Frente del Este alemán. Heinrici se sintió abrumado ante la inexperiencia de las tropas que formaban la dotación de la principal línea de defensa del Reich contra los rusos invasores.

ble valor personal, pero admitían que trabajar con él era una auténtica prueba.

Fueran cuales fuesen los méritos de Schörner como luchador y táctico o como pensador y estratega, lo único que hizo fue agravar los errores de Hitler. Mientras Kóniev estaba trasladando sus fuerzas al norte, Schörner, en vez de usar la división panzer transferida para colocar su debilitado Cuarto Ejército Panzer frente a las unidades soviéticas a lo largo del Neisse, envió la división a 80 kilómetros al sureste. Allá, los blindados estaban en una soberbia posición para bloquear cualquier movimiento soviético hacia Praga, pero estaban muy lejos de la zona que pronto se convertiría en la inmediata zona de ataque de Kóniev.

Las tres divisiones acorazadas que Hitler había enviado al sur procedían de las limitadas reservas del general Gotthard Heinrici del Grupo de Ejército Vístula, en el flanco izquierdo de Schörner frente a Zhúkov. No es sorprendente que Heinrici fuera el tipo de soldado que desagradaba intensamente a Hitler. Venía de una familia de aristócratas militares –una clase que Hitler odiaba por haber conducido a Alemania a la derrota en la Primera Guerra Mundial–, y había pasado 40 de sus 58 años en el ejército, sirviendo con sólida profesionalidad pero en una oscuridad casi impenetrable. Era bajo y discreto, taciturno pero incómodamente claro y sincero cuando hablaba, y –lo peor de todo desde el punto de vista nazi– acudía regularmente a la iglesia pese a las advertencias de que las prácticas religiosas convencionales, desde hacía tiempo desalentadas por los nazis, eran intolerables en un oficial de su rango.

Para su pesar, las mejores batallas de Heinrici habían sido todas defensivas o de retaguardia. Más memorable fue su trabajo como comandante del Cuarto Ejército frente a Moscú en el terrible invierno de 1941-1942. Sus soldados, equipados tan sólo para una rápida campaña de verano, murieron helados a miles, pero Heinrici consiguió mantener su ejército unido por pura fuerza de liderazgo. Y en la lucha en la larga retirada de 1943, tras la derrota alemana en Stalingrado, sus soldados mantuvieron bien el terreno, sabedores de que Heinrici nunca desperdiciaría inútilmente sus vidas, como Hitler exigía a menudo. Sus hombres se referían a él respetuosamente como «nuestro pequeño y duro hijoputa».

La retirada de Heinrici con el ejército se vio interrumpida en Smolensko en 1943. Fue acusado por el mariscal del Reich Hermann Göring de haber fracasado criminalmente a la hora de seguir la política generalizada de tierra quemada que había ordenado Hitler; en particular fue acusado de haber dejado en pie la catedral de Smolensko, implicando que había desobedecido las órdenes de destruirla debido a sus escrúpulos religiosos. Heinrici escapó de un consejo de guerra, pero fue declarado como de precaria salud y enviado a una casa de reposo en Checoslovaquia.

Transcurrieron ocho meses antes de que Heinrici fuera reclamado de nuevo al servicio, como comandante del Primer Ejército Panzer en Hungría. Luego, en marzo de 1945, el último de los jefes de estado mayor del ejército de Hitler, el general Heinz Guderian, de gran fama en los carros blindados, pidió los servicios de Heinrici como comandante del Grupo de Ejército Vístula.

Como muchos generales antes que él, Heinrici aprendió rápidamente que el mundo del *Führerbunker* era extrañamente irreal. En una grotesca reunión a principios de abril, Heinrici apeló a Hitler para que reemplazara las divisiones acorazadas que éste había retirado del Grupo de Ejército Vístula. Hitler lo aprobó de inmediato en principio, y los comandantes en jefe de los distintos servicios empezaron a emularse unos a otros para impresionar a Hitler con sus ofertas de hombres. Heinrici se sintió asombrado al darse cuenta de que cada comandante en jefe, como un señor feudal, poseía reservas inagotables de un tamaño desconocido incluso para Hitler y para los generales del OKW (*Oberkommando der Wehrmacht*, Alto Mando de las Fuerzas Armadas), el mariscal de campo Wilhelm Keitel, el jefe del OKW, y el jefe de operaciones Jodl.

«Mein Führer –dijo Göring–, pongo a su disposición 100.000 hombres de la Luftwaffe. Estarán en el frente del Oder dentro de pocos días.»

«Mein Führer –dijo Himmler con su aguda voz–, las SS proporcionarán 25.000 hombres para el frente del Oder.»

El gran almirante Karl Dönitz hizo una modesta donación: «Mein Führer, la Marina se halla en situación de enviar otros 12.000 hombres al Oder. Estarán en camino dentro de uno o dos días».

«Aquí tiene –anunció Hitler a Heinrici–. En total son 12 divisiones.»

Esforzándose por mantener el autocontrol, Heinrici se atrevió a decir que aquellos hombres carecían de entrenamiento en la guerra de infantería y que serían masacrados. Göring interpretó la observación como una difamación hacia las cualidades de lucha de sus hombres, e Hitler dictaminó que las tropas transferidas fueran situadas en zonas de retaguardia donde pudieran aprender gradualmente por la experiencia como reservas, convirtiéndose en espléndidos soldados a su debido tiempo..., un tiempo, por supuesto, que Heinrici no tenía a su disposición.

De los 137.000 hombres que Hitler le había prometido a Heinrici, unos 35.000 aparecieron dentro de los tres días siguientes a la reunión en el *Führerbunker* en el cuartel general del Grupo de Ejército Vístula cerca de Prenzlau, a unos 100 kilómetros al noreste de Berlín. La mayoría habían sido civiles hasta hacía poco, y o bien eran muy jóvenes o se acercaban a la vejez. Pocos de ellos tenían algún tipo de entrenamiento. No muchos disponían de armas o uniformes; un par de hombres que al parecer habían sido reclutados por la fuerza

de una fiesta formal llevaban esmoquin. Heinrici envió un mensaje al *Führerbunker* diciendo que los hombres sólo podían ser útiles para el servicio con un pico y una pala; se le contestó que dejara de quejarse y los armara. Tras una meticulosa búsqueda, Heinrici consiguió reunir 1.000 rifles de diversas edades y calibres, entre ellos algunos modelos anticuados para los que era casi imposible obtener munición.

Heinrici y los comandantes de sus dos ejércitos –el teniente general Hasso von Manteuffel del Tercer Ejército Panzer y el teniente general Theodor Busse del Noveno Ejército– tuvieron que arreglárselas con el poco equipo que Heinrici consiguió hallar o requisar. Adquirieron un cierto número de tanques reacondicionados de los talleres de reparaciones de Berlín, y con permiso de Hitler Heinrici tomó cañones de 88 mm de las defensas antiaéreas de Berlín, donde no habían hecho mucho bien, y los distribuyó como armas antitanque a lo largo de su línea principal, la segunda de las tres líneas de defensa que había establecido a varios kilómetros detrás de su línea del frente.

Heinrici fue llamado a las discusiones en el *Führerbunker* sobre la inminente defensa de Berlín, para la que su grupo armado iba a recibir el visto bueno el 15 de abril. La idea de luchar dentro de la ciudad les repugnaba tanto a él como a la mayoría de los comandantes. La única y ligera posibilidad de evitar la derrota dependía de retener al enemigo a lo largo de la línea del río Spree, mientras que una costosa lucha callejera no haría más que retrasar el final sólo unos cuantos días como máximo.

De todos modos, el Führer no deseaba que nadie pensara que Berlín no iba a ser defendida manzana a manzana. El 9 de marzo, Hitler emitió una directriz, *Orden básica de los preparativos para defender la capital*, que apareció con la firma del comandante de Berlín, el general de división Hellmuth Reymann. La orden decretaba que la batalla de Berlín debía lucharse con «fanatismo, imaginación, todos los medios de engaño, astucia y artificio» en «cada manzana, cada casa, cada tienda, cada seto, cada agujero de bomba». Lo que más contaba, naturalmente, era un «fanático deseo de luchar».

Hasta los últimos momentos no se había hecho demasiado en el sentido de preparar la capital para resistir un ataque por tierra. Hasta marzo no empezaron las tropas y los civiles dentro de la ciudad a actuar y a cavar trincheras y erigir barricadas en las calles y parques. Esta actividad dio nacimiento a muchas versiones de un cínico chiste. Un residente de Berlín, contemplando a un equipo de trabajo construir una barricada, señalaba que los rusos necesitarían dos horas y cinco minutos para destruirla. Cuando se le preguntaba acerca de su extraña medida de tiempo, el observador respondía que los rusos necesitarían dos horas para reírse ante la barricada y cinco minutos para hacerla pedazos. Según los informes de la batalla, sin embargo, los generales soviéticos no se rieron; afirmaron, en parte para realzar su victoria y en parte porque los alemanes lucharon con auténtica ferocidad, que 400.000 berlineses habían participado en la defensa de la ciudad, probablemente 10 veces más que su auténtico número.

Los alemanes tenían la sensación de que el ataque estaba cercano. Los ciudadanos de los suburbios del este de Berlín informaron de haber oído disparos desde el Oder mientras las fuerzas de Zhúkov disponían sus batallones las noches del 12, 13 y 14 de abril. Hitler escribió –y Goebbels editó masivamente– una exhortación prebatalla a las tropas del Frente del Este, para ser leída en voz alta por sus comandantes de pelotón cuando golpeara el Ejército Rojo. Era un mensaje cansado, que repetía otra vez la tensa retórica y las pocas y sencillas ideas que habían sido gritadas tan a menudo antes. Los rusos eran el enemigo «judío-bolchevique» que pretendía «reducir Alemania a ruinas y exterminar a nuestro pueblo». Cualquier soldado que no cumpliera con su deber era un «traidor a nuestro pueblo», pero «gracias a vuestra resolución y fanatismo» el ataque enemigo sería detenido, «ahogado en un baño de sangre». La única noticia que añadía Hitler era su referencia final a la muerte «del mayor criminal de guerra de todos los tiempos», Roosevelt.

La muerte estaba en el aire. Los abogados eran asediados por los berlineses que deseaban hacer testamento. Muchos alemanes planearon suicidarse si los rusos entraban en la ciudad, y buscaron agentes del gobierno, médicos, dentistas y trabajadores de laboratorio para obtener pistolas, veneno para ratas y cápsulas de cianuro potásico. Los médicos aconsejaron y difundieron información sobre los méritos relativos de distintos métodos de terminar con la propia vida. Cuando la amante de Hitler, Eva Braun, llegó al *Führerbunker* pese a las órdenes de él de permanecer a salvo en Baviera, los ocupantes del búnker supieron instintivamente que había acudido a compartir la suerte del Führer. Pensaron en ella como en el «Ángel de la Muerte».

Un oficial alemán inspecciona un puesto de ametralladoras ligeras en el río Oder a finales de marzo de 1945. El Grupo de Ejército Vístula, asignado a defender la línea del río, estaba críticamente falto de armas –de artillería en particular– con las que contener el inminente asalto ruso.

LA FORTALEZA DE BERLÍN

En las últimas semanas de la Guerra, el Führer y el líder de las juventudes hitlerianas Arthur Axmann pasan revista a los veteranos quinceañeros del Frente del Este, típicos de las unidades que quedaron para defender Berlín.

LA TESTARUDA ILUSIÓN DE UNA DEFENSA OBCECADA

Un miembro de la Volkssturm se entrena con un Panzerfaust; desdeñado por un oficial como un «arma primitiva», resultó muy efectivo en las luchas callejeras en Berlín.

En los años de gloria de los nazis, e incluso en los años de la retirada, nadie se había preparado seriamente para enfrentarse a un ataque a Berlín. Hasta marzo de 1945 –con los rusos a tan sólo 80 kilómetros al este– no empezó a tomar forma un plan general de defensa. Hitler designó Berlín como una «fortaleza», un lugar que había que defender hasta que no quedara nadie vivo para seguir luchando. La capital era la última de una cadena de tales fortalezas, que había empezado con Stalingrado en 1942.

El ministro de Propaganda Joseph Goebbels, que también ocupaba el cargo de Gauleiter, o gobernador nazi, del distrito de Berlín, culpó a los militares de la falta de preparativos. Como representante de Hitler instituyó reuniones semanales de los comandantes del ejército para solidificar los pasos de la defensa, pero al mismo tiempo minó el plan de defensa basándolo en inexistentes reservas de tropas de refresco y suministros. La mayoría de los hombres más viejos de la *Volkssturm,* o guardia del pueblo, junto con las mujeres y los niños, fueron puestos a trabajar apilando barricadas y cavando trincheras para atrapar a los tanques rusos. Pero los militares profesionales, como el comandante de la ciudad, el general de división Hellmuth Reymann, veía esos preparativos como una mera ilusión.

Reymann calculó que se necesitarían al menos 200.000 tropas experimentadas para presentar una última resistencia creíble en Berlín, y la mayoría de los hombres que hubieran podido constituir esta fuerza se estaban enfrentando ya a un número abrumador de soviéticos en la línea Oder-Neisse. De lo que Reymann disponía para trabajar en la ciudad era de las juventudes hitlerianas –cuyo último llamamiento había incluido a muchachos de 15 años– y miembros de la *Volkssturm,* 60.000 de los cuales fueron organizados en unidades de infantería improvisadas por los oficiales políticos que los controlaban. Muchos carecían de uniformes, un tercio estaban desarmados, y el resto llevaba o bien *Panzerfäuste,* lanzagranadas de un solo disparo, o rifles para los cuales frecuentemente no había munición. En Berlín no había tanques, ni aviones de caza, y quedaba muy poca artillería; la gasolina y el alambre de espinos eran críticamente escasos.

Al abandonar una de las reuniones semanales de Goebbels, Reymann observó a su jefe de estado mayor, el coronel Hans Refior: «Sólo espero que ocurra algún milagro que cambie nuestra fortuna, o que la guerra termine antes de que Berlín caiga bajo asedio. ¡De otro modo, que Dios ayude a los berlineses!».

Joseph Goebbels discute la defensa de Berlín. Del comandante del ejército de Berlín Hellmuth Reymann dijo: «No puede esperarse ningún resultado extraordinario».

En el corazón de Berlín, los obreros de la construcción colocan vigas como trampas contra tanques (izquierda) *a la sombra de la Puerta de Brandenburgo, el símbolo tradicional de la gloria militar alemana. A la derecha, los trabajadores cavan un búnker subterráneo en los suburbios como parte del perímetro de defensa exterior de Berlín.*

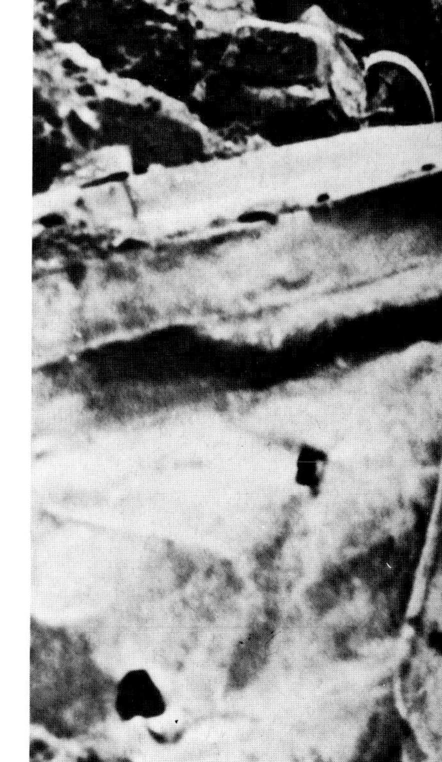

BARRICADAS EN EL CENTRO, TRINCHERAS SUBURBANAS

En todo Berlín, anotó entusiásticamente Joseph Goebbels en su diario, todo el mundo trabajaba «febrilmente» y «las barricadas crecen como setas». Sin embargo, incluso Goebbels admitía que un paseo en su coche por la ciudad ya medio destruida por los bombardeos aliados «me abre las carnes».

El plan rápidamente desarrollado que convinieron Goebbels y el ejército exigía establecer una serie de posiciones sucesivas: primero un anillo que seguía la *autobahn* (autopista) que rodeaba formando un círculo la ciudad a unos 30 kilómetros de su centro, reforzado por un segundo anillo, aproximadamente a 15 kilómetros del centro, a lo largo de la ruta del ferrocarril elevado de Berlín, conocido como el *S-Bahn*. Para la última resistencia, los planificadores trazaron un pequeño anillo interior, que abarcaba la mayor parte de los principales edificios del gobierno y el parque llamado el Tiergarten. Designaron esta área la «Ciudadela».

La gente debía desplegarse por todo este sistema defensivo en «lugares fortificados». Camiones volcados, vagones de tranvía y de ferrocarril lastrados con restos de bombas tenían que unir muros de cemento construidos a toda prisa, los cascarones de los edificios bombardeados, trincheras, y las barreras naturales proporcionadas por los ríos, lagos y canales de Berlín.

El esfuerzo de fortificación alentó temporalmente a los defensores, pero cuando los hombres y la artillería necesarios para sostener los puntos fuertes no se materializaron, la tarea de defender la ciudad adoptó un aura de pesimismo. Un informe del ejército que circuló internamente durante la primera semana de abril declaraba: «La población ha perdido toda esperanza. Los esfuerzos de prensa y propaganda se enfrentan cada vez a una desconfianza mayor. "¿Dónde están las nuevas armas, las nuevas defensas aéreas?", preguntan. La moral está a cero.»

Bajo una atenta supervisión, los defensores de Berlín, incluidos hombres considerados hasta entonces como no aptos para la lucha, amontonan restos y cascotes en barricadas para una última línea de defensa.

Una mujer, en respuesta a la petición de última hora de Hitler de unirse a la lucha, aprende cómo manejar un Panzerfaust. Nunca llegaron a formarse unidades de combate formales de mujeres.

ENTRENANDO SOLDADOS DE SEGUNDA LÍNEA

Siguiendo el ejemplo de los rusos en la defensa de Moscú, Hitler decidió que además de los viejos y los niños, las mujeres podían luchar también en la batalla definitiva. «El Führer es de la opinión –señaló Goebbels– de que, siempre que se presenten voluntarias, lucharán indudablemente con fanatismo. Deberían ser situadas en segunda línea; entonces los hombres en la línea del frente perderán todo deseo de retroceder.»

En cuanto a las armas con que las mujeres –y los hombres– tenían que luchar, no había ningún milagro a la vista, pese a un año de hablar de armas secretas que cambiarían espectacularmente el curso de la guerra. Los submarinos de un solo tripulante se hallaban todavía en fase de desarrollo cuando se produjo la invasión de Normandía, y el plan de crear cohetes tripulados que destruirían a los bombarderos aliados embistiendo contra ellos jamás salió del laboratorio. La única arma disponible en cierta cantidad para los berlineses a medida que se acercaba el ataque final era el *Panzerfaust*, que efectuaba un solo disparo y luego era desechado.

«¡Esto es una locura! –exclamó un oficial profesional–. ¿Cómo se supone que debe luchar esta gente una vez disparado su único proyectil? ¿Qué espera el cuartel general que hagan, usar sus armas vacías como garrotes?»

Mientras sus camaradas aguardan al fondo su turno, un miembro uniformado de las juventudes hitlerianas aprende cómo disparar el arma antitanque de un solo uso.

DEMASIADO TARDE, UN INTENTO DE ESTAR PREPARADOS

Construir fortificaciones para Berlín fue un juego de niños comparado con la pesadilla de organizar las pocas armas que había disponibles. En ese estadio de la guerra, recordó más tarde el general Reymann, las armas eran un ecléctico surtido «de todos los países con o contra los que había luchado Alemania. Además de las nuestras propias, había armas italianas, rusas, francesas, checoslovacas, belgas, holandesas, noruegas e inglesas».

Hallar munición que encajara con unos 15 tipos diferentes de rifles y 10 tipos diferentes de ametralladoras fue a menudo imposible. Aunque algunos rifles belgas podían utilizar balas checoslovacas, por ejemplo, las armas checoslovacas no admitían la munición belga.

Para complicar la carestía de hombres capaces de luchar y armas disponibles se presentó una decepcionante inhibición de voluntarios para trabajos civiles. El plan de defensa se basaba en la suposición de que se dispondría de 100.000 trabajadores para construir las fortificaciones, pero sólo 30.000 de los tradicionalmente escépticos berlineses respondieron a la llamada.

A principios de la guerra una serie de elaboradas fortificaciones –el Muro del Atlántico a lo largo de la costa francesa, la Línea Gustav en Italia y la Línea Sigfrido a lo largo de la frontera occidental de Alemania– habían frenado con eficacia, si no detenido, a los enemigos de Alemania. Los bastiones berlineses se parecían muy poco a cualquiera de ellas. El general Max Pemsel, que había estado en Normandía el Día-D, inspeccionó los preparativos de Berlín y dio su opinión: «¡Absolutamente fútiles, ridículos!».

Extraños lotes de armas de mano son descargados en una estación de ferrocarril de Berlín. Los pocos defensores a los que se entregaron rifles recibieron una media de tan sólo cinco balas cada uno.

En una foto de propaganda alemana, civiles, muchos de ellos mujeres jóvenes, sonríen mientras se dirigen a cavar zanjas antitanques.

Una línea de trinchera prevista para detener los tanques soviéticos zigzaguea cruzando un campo en las afueras de Berlín.

Defensores de Berlín, con sus Panzerfäuste preparados, aguardan la aproximación de los tanques soviéticos. Cuando fue tomada la foto, Hitler todavía alardeaba de

que los rusos «sangrarían hasta la muerte» intentando tomar la capital alemana. La fotografía fue muy retocada para su publicación en los periódicos alemanes.

LA EMBESTIDA RUSA

EL ATAQUE A LA GUARIDA DE LA «BESTIA FASCISTA»

La noche del 15 de abril pareció interminable para los 1,3 millones de soldados veteranos del Ejército Rojo que aguardaban a lo largo de los ríos Oder y Neisse en el este de Alemania. Estaban preparados para el gran asalto sobre Berlín, la «hora final de la venganza», como lo expresó el mariscal Gueorgi K. Zhúkov. Era la oportunidad de devolverles el golpe a los odiados alemanes por la violación del hogar ruso, por Leningrado y Stalingrado, por las muertes de los amigos y los seres queridos. Un eslogan garabateado en uno de los tanques que aguardaban decía: «50 kilómetros hasta la guarida de la bestia fascista». La victoria estaba lo suficientemente cerca como para saborearla.

En un búnker de mando que dominaba la cabeza de puente de Küstrin, en el centro de la línea del Oder, Zhúkov y sus ayudantes bebían un fuerte té caliente mientras observaban arrastrarse las manecillas del reloj. Más al sur, a lo largo del Neisse, donde el mariscal Iván S. Kóniev estaba al mando, la espera era igualmente tensa. Antes del amanecer del 16, se inició la gran embestida.

Mientras sus camaradas miran, un soldado ruso besa su rifle como pa

A lo largo del Oder estallaron luces de señales muy por encima del río; al instante la brumosa oscuridad se vio hendida por los resonantes destellos de miles tras miles de cañones pesados. Durante más de media hora prosiguió el cañoneo; luego los rusos se lanzaron al ataque. En el Neisse, el cruce se produjo bajo una densa cortina de humo.

Los alemanes estaban aguardando. Anticipando el bombardeo, el comandante alemán en el Oder, el general Gotthard Heinrici, retiró durante la noche a sus hombres fuera de sus posiciones en primera línea hacia los altos de Seelow, un formidable creciente de farallones retirados varios kilómetros de la orilla occidental del río. (Cuando uno de sus oficiales protestó ante la retirada, Heinrici respondió: «Usted no pone su cabeza debajo de un martillo pilón, ¿verdad? La retira a tiempo».) Ahora, con los rusos avanzando por el pantanoso terreno debajo de las tierras altas, golpeó con todo lo que tenía a mano.

Mientras el ataque quedaba encallado en el fango, Zhúkov ordenó furiosamente que sus dos ejércitos de tanques entraran en acción antes de lo previsto para forzar el resultado por el puro peso de las armas..., pero sólo consiguió crear un gigantesco atasco de tráfico. Al final del primer día –y del segundo–, su golpe de martillo en el corazón de Alemania seguía enfangado todavía en los pantanos del Oder.

7
15
11

En su avance para destruir las defensas alemanas al este de Berlín, los ocupantes de un tanque y un camión del Ejército Rojo hacen una pausa cerca de una zanja llena con los destrozados restos del enemigo.

EJÉRCITOS PREPARADOS PARA «ASALTAR EL PROPIO CIELO»

Mientras las fuerzas de Zhúkov caían sobre los altos de Seelow, en el sur el Primer Grupo de Ejército Ucraniano, mandado por Kóniev, estaba haciendo progresos aún más impresionantes. Ayudado por un bombardeo de 40 minutos de la artillería y por una cortina de humo tendida por los aviones de caza en sus repetidas pasadas sobre el valle del río Neisse, las tropas de Kóniev establecieron rápidamente una serie de cabezas de puente en la orilla occidental del río; pronto los tanques soviéticos retumbaban por entre los bosques de pinos en llamas a causa de los proyectiles, aplastando los feroces contraataques a lo largo de un frente de casi 30 kilómetros de largo.

Mientras los bombarderos de ataque Stormovik arrasaban los blancos delante de las fuerzas de tierra, el Tercer y Cuarto Ejército Acorazado de Defensa avanzaba hacia Lübben, punto terminal del límite entre las zonas de operación de Kóniev y Zhúkov. Kóniev sabía que el que alcanzara Lübben primero estaría en una posición dominante para avanzar sobre Berlín, y estaba decidido a ganar a su rival allí, una decisión reforzada por el conocimiento de que sus hombres estaban «con un espíritu de lucha muy alto» y que la mayoría de ellos tenían tres años de experiencia de batalla bajo sus cinturones. «Con estos soldados –observó más tarde–, podríamos haber asaltado el propio cielo.»

El rápido y hábil trabajo de las tropas de ingenieros soviéticas –a menudo bajo el fuego– hicieron posible cruzar con éxito las dos barreras principales de los ríos entre los ejércitos del mariscal Kóniev y su último blanco: Berlín. Arriba, la infantería rusa cruza montada en tanques un puente de pontones que atraviesa el Neisse; fue uno de los 133 cruces que se efectuaron en la zona principal de ataque del frente sur. Abajo, durante la noche siguiente, los tanques de Kóniev atraviesan un puente tendido sobre el río Spree, a unos 16 kilómetros al oeste del Neisse.

LAS PINZAS SE CIERRAN SOBRE LA CAPITAL

El mariscal Kóniev llegó al río Spree a primera hora del 17 de abril. Se detuvo en la orilla admirando la forma en que sus comandantes conducían el cruce de sus tanques y revisando sus planes para el avance de los 40 kilómetros hasta Lübben. Al principio los alemanes habían contraatacado ferozmente, pero luego su resistencia se había esfumado. Si podía alcanzar Lübben con rapidez, Kóniev creía que Stalin le daría la orden de avanzar sobre Berlín.

Aquella noche, en su nuevo cuartel gen ral, un castillo baronil en Cottbus, a orill del Spree, Kóniev recibió más buenas no cias: la punta de lanza de sus tanques esta avanzando hacia el oeste con muy poca op sición. Hizo una llamada directa a Iósiv S lin en Moscú para informar de su éxito. Co tra el ruido de fondo de la distante artilleri Kóniev oyó la orden que había estado esp rando: adelante hacia Berlín.

En su maniobra para envolver Berlín, una columna rusa avanza a lo largo de una carretera boscosa al suroeste de la capital hacia Potsdam, donde convergerá con los ejércitos que están rodeando la capital desde el norte.

La infantería del grupo de ejército de Kóniev se abre camino por un polvoriento campo. Delante, un radiotelegrafista en el centro de mando alemán en Zossen, a 30 kilómetros al sur de Berlín, está cantando: «Iván está casi en la puertas».

Al contrario que los norteamericanos, que intentaron conseguir un control de precisión del fuego, los rusos confiaban en el fuego masivo de artillería para eliminar

2

El alto coste de una ofensiva apresurada
El mariscal Zhúkov convierte la noche en día
El cruce del Neisse con ejércitos de tanques
Muerte por tortura para los rusos capturados
«Siguen llegando en hordas contra nosotros»
La terrible prueba del teniente Kränkel
El plan de contraataque de un Hitler alucinado
Un general sin tropas
La ruina de Hermann Göring
Una ruta de escape mantenida abierta por tropas quinceañeras
Encuentro histórico sobre un puente en ruinas

En las primeras y oscuras horas del amanecer del 16 de abril, los 11 ejércitos del Primer Grupo Bielorruso del mariscal Zhúkov y los siete ejércitos del Primer Grupo Ucraniano del mariscal Kóniev se preparaban a lo largo de la línea de los ríos Oder y Neisse para el inicio de la ofensiva de Berlín, prevista para las 5 a.m. Una vez las últimas unidades soviéticas se hubieron situado en sus posiciones de ataque asignadas, los comandantes dieron sus informes finales indicando que sus hombres estaban preparados para el combate.

Las tropas –más de 1,25 millones de hombres– no estaban solas para contemplar sus posibilidades. Comisarios, oficiales políticos del Partido Comunista se movían entre ellos, dándoles instrucciones sobre su deber y ensalzando la honorabilidad del sacrificio patriótico. Siguiendo órdenes de Moscú, se requería que cada hombre prestara juramento sobre la bandera soviética de luchar con un celo especial por la madre patria, el Partido Comunista y la victoria final. Muchos soldados se unieron al partido sobre la marcha para asegurarse un beneficio que el ejército no contemplaba: sus familiares serían notificados si resultaban muertos en acción.

Al otro lado de la línea Oder-Neisse *(mapa, pág. 64)*, dos ejércitos alemanes de aproximadamente 400.000 hombres aguardaban tensamente el asalto. El ataque se produciría al amanecer..., ésa era la predicción del general Heinrici, comandante del Grupo de Ejército Vístula, que comprendía el Noveno Ejército y el Tercer Ejército Panzer alemanes. Heinrici, un hombre bajo, canoso, hosco, exudaba competencia a todos excepto a aquellos que admiraban a los fanfarrones y vocingleros. Ya había salvado las vidas de cientos y quizá miles de soldados alemanes ordenando que sus unidades de primera línea se retiraran antes de que sus posiciones fueran devastadas por el bombardeo de la artillería de apertura soviético.

Pero el oficial de operaciones de Heinrici, el coronel Hans-Georg Eismann, creía que nada ayudaría mucho en este estadio del conflicto. «El grupo de ejército –escribió– podía compararse a un conejo, que aguardaba hipnotizado a que la serpiente golpee y lo devore.» El Cuarto Ejército Panzer, estacionado a 120 kilómetros al sureste de Berlín bajo el Grupo de Ejército Centro del mariscal de campo Schörner, era igual de vulnerable.

Los rusos difícilmente podían perder la batalla de Berlín, superando de tal modo a los alemanes en hombres (5 a 1), cañones (15 a 1), tanques (5 a 1) y aviones (3 a 1). Sin embargo, las ambiciones, rivalidades, desaciertos y equivocaciones de los líderes de ambos lados del conflicto crearían una batalla impredecible..., y sangrienta, alimentada por el odio mutuo y marcada por las atrocidades.

La acumulación de equivocaciones empezó en la cumbre.

EL GOLPE ASESTADO

Puesto que Stalin creía, equivocadamente, que los aliados occidentales intentarían ganarle en llegar a Berlín, su ofensiva fue planeada para una máxima velocidad. Se esperaba que los tres grupos de ejército implicados –el Segundo Grupo de Ejército Bielorruso del mariscal Rokossovski, alineado en el sector norte del frente, iba a convertirse en la tercera unidad en unirse a la batalla el 20 de abril– aplastaran toda oposición y ocuparan el territorio desde la línea Oder-Neisse al oeste hasta la línea Elba-Mulde en 12 días, ciertamente en no más de 15 días. El injustificado apresuramiento de estos cálculos, que hizo que los competitivos comandantes del frente azuzaran y empujaran ferozmente a sus hombres, dio como resultado grandes pérdidas. El Ejército Rojo alcanzaría el desorbitado índice de bajas de cuatro soldados soviéticos muertos por cada uno alemán, incluso pese a que ahora la Wehrmacht no era más que una lamentable imitación de su glorioso pasado.

Hitler, que nunca careció de inoportuno optimismo, se aferraba a su ilusión favorita de los últimos tiempos de que, si resistía un poco más, los rusos y los británicos y norteamericanos no tardarían en lanzarse los unos a la garganta de los otros. Hitler vivía inmerso cada vez más en su febril imaginación, desplegando divisiones inexistentes y enviando unidades sí existentes a la muerte sin ninguna razón discernible. Lejos de deplorar las bajas alemanas, deseaba más y más de ellas, a fin de castigar a Alemania por haberle fallado, y despreciaba a los supervivientes. «Sólo los inferiores quedarán después de la lucha –dijo–, porque los buenos ya habrán muerto.»

Para lanzar su ofensiva de 750.000 hombres y 1.800 tanques, el mariscal Zhúkov se abrió camino a través de la bruma y la oscuridad del preamanecer hasta el puesto de mando del Octavo Ejército de Defensa. Situado en la orilla occidental del río Oder, en una cabeza de puente a la que se dio el nombre de Küstrin, la ciudad más próxima de una cierta importancia, el puesto de mando era un elaborado refugio subterráneo en la ladera de una colina no lejos del pueblo de Reitwein. El puesto era la zona de control para el principal ataque de Zhúkov, y dominaba la ruta más corta hasta Berlín. Justo al norte del puesto, la carretera Küstrin-Berlín cruzaba el amplio valle del Oder, medio inundado por las lluvias de primavera y marcado por docenas de rebosantes canales y arroyos.

En el pueblo de Seelow, al otro lado del valle, la carretera ascendía hasta los altos de Seelow, una línea de 45 kilómetros de colinas y farallones fortificados. Los altos eran el sector más fuerte del sistema de defensa alemán, de 145 kilómetros de largo, al que se enfrentaba Zhúkov, pero éste planeaba tomar toda la línea Seelow el primer día de ofensiva, luego penetrar por el límite oeste de Berlín con el ala izquierda de sus fuerzas y rodear la ciudad desde el norte con su ala derecha en los días siguientes. Para iniciar el plan, Zhúkov había llenado la cabeza de puente con dos ejércitos de tanques y tres ejércitos mixtos (o de campaña), la mayoría infantería integrada con equipos de tanques. Además del Octavo Ejército de Defensa, la fuerza comprendía el Primer y Segundo Ejércitos Blindados de Defensa y el Tercer y Quinto Ejércitos de Asalto.

El oficial al mando del Octavo Ejército de Defensa, el franco general Vasili I. Chuikov, se sintió irritado por la inesperada visita de su celebrado superior. Consideraba a Zhúkov arrogante y entrometido, y Chuikov no quería interferencias con sus propias decisiones y órdenes. Él y su ejército habían ido demasiado lejos, creía, para ser manipulados de forma que Zhúkov, que buscaba un puesto en o cerca de la mano derecha de Stalin, consiguiera ventajas políticas.

Chuikov había iniciado su carrera como general soviético mandando un ejército previamente poco distinguido, el Sesenta y dos; bajo su mando el ejército había ganado su designación honorífica de Defensa manteniendo a los alemanes a raya durante cinco meses en las ruinas de Stalingrado. Más tarde, el ejército había tomado parte en la liberación de Odessa y luego había conducido a las fuerzas de Zhúkov todo el camino a través de la Bielorrusia, conocida también como la Rusia Blanca, y a través de Polonia hasta este pantanoso lugar. Ahora su ejército tenía su última posibilidad de alcanzar la gloria, y Chuikov deseaba que lo dejaran tranquilo para ejecutar sus misiones clave: tomar el pueblo de Seelow, abrir un agujero en las líneas alemanas para el Primer Ejército Acorazado de Defensa que iba detrás, y finalmente derribar la puerta este de Berlín.

Exactamente a las 5 a.m., Zhúkov dio la señal de disparar las bengalas que iniciarían el bombardeo de la artillería. Cerca de 17.000 cañones de campaña, morteros y katyushas –baterías lanzacohetes múltiples, llamados «Órganos de Stalin» por los alemanes– lanzaron una andanada que se oyó incluso en la parte este de Berlín, a más de 60 kilómetros de distancia. El retumbar de los cañones, muy cerca unos de otros, era literalmente ensordecedor; algunos de los cañoneros empezaron a sangrar por los oídos, pese a que los tenían cubiertos con guata para reducir el efecto de los disparos.

El bombardeo prosiguió durante media hora, arrasando trincheras, reduciendo a la nada pueblos enteros y alzando géiseres de tierra y cascotes a lo largo de los altos de Seelow. Y aquello fue sólo parte del cañoneo del día; los artilleros de los dos frentes dispararían 1.236.000 proyectiles aquel día, y harían llover 98.000 toneladas de acero ardiente sobre el enemigo.

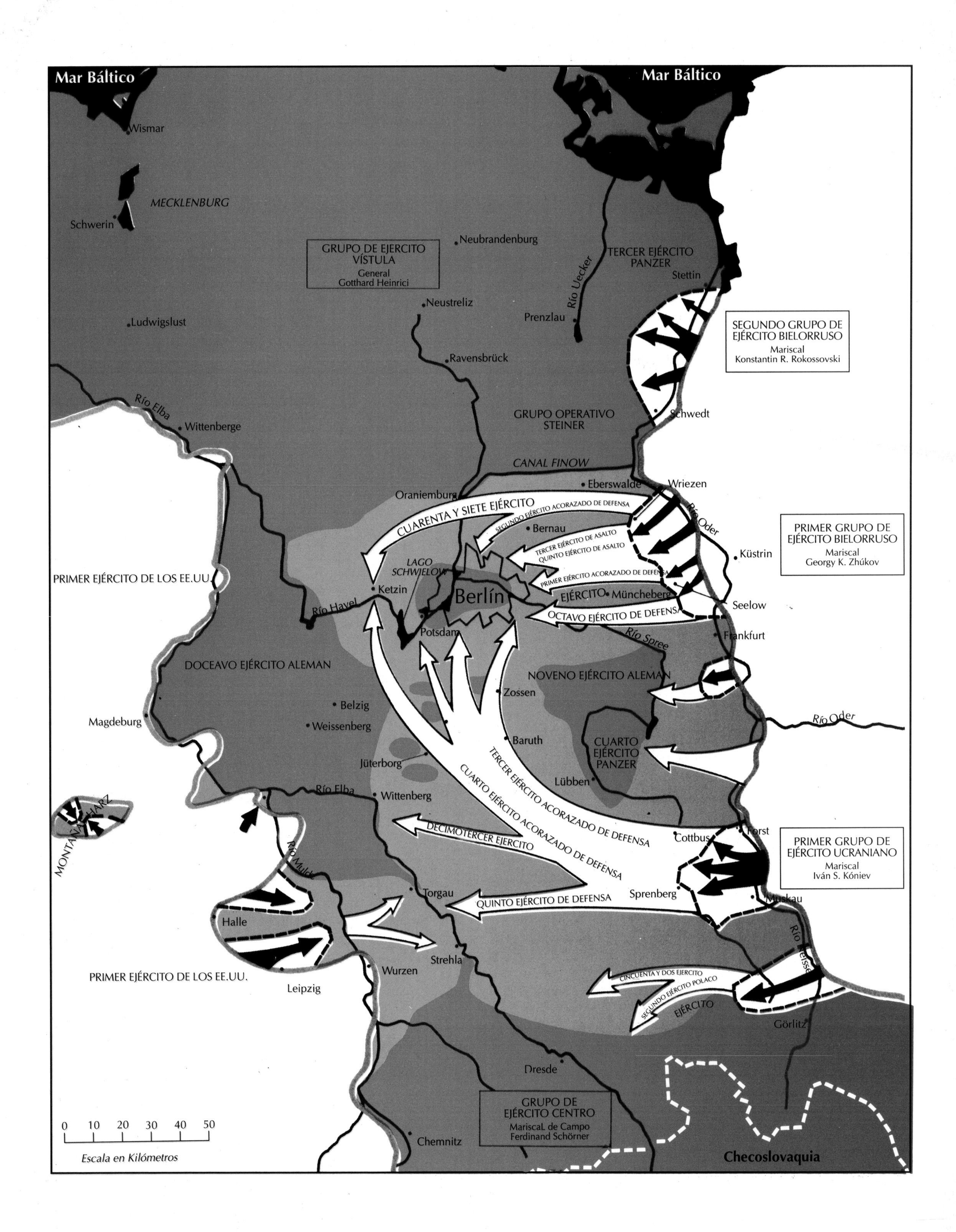

Mar Báltico
Mar Báltico
Wismar
MECKLENBURG
Schwerin
GRUPO DE EJÉRCITO VÍSTULA
General
Gotthard Heinrici
Neubrandenburg
TERCER EJÉRCITO PANZER
Stettin
Río Uecker
Neustreliz
Prenzlau
Ludwigslust
SEGUNDO GRUPO DE EJÉRCITO BIELORRUSO
Mariscal
Konstantin R. Rokossovski
Ravensbrück
Río Elba
Wittenberge
GRUPO OPERATIVO STEINER
Schwedt
CANAL FINOW
Eberswalde
Wriezen
Oranienburg
CUARENTA Y SIETE EJÉRCITO
SEGUNDO EJÉRCITO ACORAZADO DE DEFENSA
Bernau
Río Oder
PRIMER GRUPO DE EJÉRCITO BIELORRUSO
Mariscal
Georgy K. Zhúkov
TERCER EJÉRCITO DE ASALTO
QUINTO EJÉRCITO DE ASALTO
Küstrin
LAGO SCHWIELOW
PRIMER EJÉRCITO ACORAZADO DE DEFENSA
PRIMER EJÉRCITO DE LOS EE.UU.
Ketzin
Berlín
EJÉRCITO
Müncheberg
Río Havel
Seelow
OCTAVO EJÉRCITO DE DEFENSA
Potsdam
Río Spree
Frankfurt
DOCEAVO EJÉRCITO ALEMAN
NOVENO EJÉRCITO ALEMAN
Zossen
Belzig
Magdeburg
Weissenberg
Río Oder
Baruth
CUARTO EJÉRCITO PANZER
Jüterborg
Lübben
Río Elba
Wittenberg
TERCER EJÉRCITO ACORAZADO DE DEFENSA
CUARTO EJÉRCITO ACORAZADO DE DEFENSA
MONTAÑA HARZ
DECIMOTERCER EJÉRCITO
Cottbus
Forst
PRIMER GRUPO DE EJÉRCITO UCRANIANO
Mariscal
Iván S. Kóniev
Río Mulde
Torgau
Sprenberg
QUINTO EJÉRCITO DE DEFENSA
Muskau
Halle
Río Neisse
Strehla
Wurzen
CINCUENTA Y DOS EJÉRCITO
SEGUNDO EJÉRCITO POLACO
EJÉRCITO
PRIMER EJÉRCITO DE LOS EE.UU.
Leipzig
Görlitz
Dresde
GRUPO DE EJÉRCITO CENTRO
Mariscal de Campo
Ferdinand Schörner
0 10 20 30 40 50
Escala en Kilómetros
Chemnitz
Checoslovaquia

A las 5:30 a.m. los tres ejércitos mixtos –el Octavo Ejército de Defensa y el Tercer y Quinto Ejércitos de Asalto– avanzaron lado a lado, y Zhúkov introdujo una nueva y curiosa táctica. Había reunido 140 poderosos focos antiaéreos, y ahora los hizo encender todos, junto con las luces de centenares de camiones y tanques. La finalidad de Zhúkov era doble: iluminar el camino para sus tropas y cegar a los artilleros enemigos al otro lado del valle. Más tarde escribió con inocente entusiasmo que había convertido la noche en día con la intensidad de mil millones de bujías de energía. En realidad, sus focos fueron más un inconveniente que una ayuda: los haces se reflejaban en las nubes de polvo y humo de la artillería y desorientaban a sus propias unidades. Tal como lo vio Chuikov, el efecto neto fue un inconveniente tan grande como lo hubiera sido la plena oscuridad. «En muchos sectores –escribió más tarde–, las tropas se detuvieron frente a arroyos y canales, aguardando a que la luz del amanecer les mostrara más claramente el obstáculo que tenían que superar.»

Lentamente, suspicazmente, la infantería rebasó las primeras líneas del frente abandonadas por el enemigo. La ausencia de alemanes muertos en zonas que habían sido intensamente bombardeadas sugirió a las tropas que estaban avanzando hacia una trampa, y la impresión se vio reforzada por el silencio de la artillería enemiga. Los soviéticos siguieron avanzando de todos modos, con los tanques siguiendo las carreteras para evitar las pantanosas llanuras.

A todo lo largo de los altos de Seelow, frente a las colinas y sobre ellas, los alemanes aguardaban pacientemente, conservando sus escasas reservas de municiones. La línea de colinas –de hecho todos los 55 kilómetros del centro del sistema oriental de defensa– estaba defendida por el más fuerte de los tres ejércitos alemanes, el Noveno Ejército del general Busse. Pese a toda su relativa fuerza, sin embargo, la defensa tenía varios eslabones débiles, y uno de ellos era la 9ª División Paracaidista, antes una formación de elite pero ahora compuesta principalmente por restos y desechos de la Luftwaffe, equipos de tierra desempleados, con pilotos sin aviones como oficiales. La división, entrenada sólo a medias y no probada, había sido relegada adecuadamente como defensa secundaria. Sin embargo, cuando Heinrici evacuó sus posiciones de primera línea para mantener a sus ejércitos fuera del alcance del bombardeo de la artillería soviética, la 9ª División Paracaidista se encontró en primera línea, directamente en el camino de la 67ª División de choque del mariscal Chuikov.

Los jóvenes alemanes, atrincherados en el valle en las inmediaciones del pueblo de Seelow, habían mostrado indicios de habilidad militar; habían cavado profundas trincheras, y habían resistido bien el primer bombardeo. Y estaban listos para luchar cuando, a la incolora primera luz, se enfrentaron a las oleadas de infantería que avanzaban hacia ellos y a las columnas de tanques que se aproximaban por las carreteras.

Cuando los rusos estuvieron bien al alcance, la artillería alemana en las colinas empezó a disparar. Docenas de tanques soviéticos estallaron, y la infantería montada sobre ellos saltó por los aires como cerillas rotas. La 9ª División de Paracaidismo abrió fuego con sus ametralladoras, sus rifles y sus metralletas, barriendo a los rusos ante ellos y destruyendo más tanques con las granadas disparadas con sus *Panzerfäuste*. Durante un tiempo, un flujo continuo de fusileros soviéticos siguió avanzando, sólo para ser abatido por los alemanes. Pero luego el avance se detuvo.

Los alemanes, sorprendidos y excitados por su éxito, saborearon su nuevo status como veteranos. Aunque sabían que el avance ruso se iniciaría de nuevo, ya no se preocuparon; se sentían capaces de dominar el mundo.

Casi al mismo tiempo que los hombres de la 9ª División de Paracaidismo ganaban su primer choque, el mariscal Kóniev iniciaba su bombardeo previo sobre un frente que se extendía 390 kilómetros al sur desde la unión del Neisse y el Oder. Utilizando siete ejércitos –500.000 hombres y 1.400 tanques–, Kóniev planeaba dos asaltos. El primero, encabezado por la mezcla de blindados e infantería del Quinto Ejército de Defensa y el Decimotercer Ejército, con el Tercer y Cuarto Ejército Acorazado de Defensa siguiéndoles, se encaminaría hacia el Elba y el enlace con los norteamericanos; como misión secundaria, los ejércitos blindados tenían que apoyar a Zhúkov al sur de Berlín. El segundo asalto, con el Cincuenta y dos Ejército y el Segundo Ejército Polaco, se dirigiría a Dresde. (Esta unidad polaca había sido reclutada entre los prisioneros de guerra que los rusos mantenían desde que dividieron Polonia con Alemania en 1939, y entre los ciudadanos de las áreas de Polonia que los rusos habían reocupado en 1944.)

Al contrario que la fuerza de Zhúkov, el Primer Grupo Ucraniano no tenía cabeza de puente, y el Neisse era un río de aguas rápidas y ancho –en algunos lugares 150 metros– a través del cual Kóniev debía lanzar su ataque. Para el peligroso cruce del Neisse, Kóniev había decidido aguardar a la luz del día. Para engañar al enemigo acerca de su principal zona de ataque, Kóniev ordenó que sus aviones de apoyo lanzaran una densa pantalla de humo sobre toda la longitud del valle del Neisse. Bombas y artillería iniciaron un incendio en el denso bosque de pinos que crecía en la orilla oeste, y el fuego se añadió al denso humo de los proyectiles.

El asalto de Berlín por parte de los soviéticos se desarrolló en dos fases. La primera, señalada por las flechas negras, duró del 16 al 18 de abril, y coincidió con las operaciones de limpieza de los norteamericanos contra las fuerzas en Leipzig, Dessau y las montañas Harz. La segunda fase del ataque ruso, que ocurrió entre el 18 y el 25 de abril, implicó el rodeo así como la penetración de la ciudad (flechas blancas). (Los enclaves de color rojo oscuro son grandes concentraciones de tropas alemanas.) Las tropas rusas y norteamericanas se encontraron finalmente en el río Elba en el oeste.

Al cabo de 40 minutos de bombardeo, los ingenieros de Kóniev empezaron a cruzar el Neisse. Utilizando lanchas a motor, varios equipos instalaron puentes de asalto prefabricados hasta la otra orilla. Tan pronto como cada puente quedó instalado a toda prisa, soldados de infantería lo cruzaron y atacaron a las tropas enemigas a lo largo del río. El cruce se enfocó en dos blancos: el sector de unos 30 kilómetros entre Forst y Muskau, donde los equipos instalaron 133 cabezas de puente individuales para el asalto principal, y el área de unos 50 kilómetros al sur alrededor de Görlitz, el punto de arranque del avance secundario en dirección a Dresde.

Los tanques que eran demasiado pesados para los primeros puentes de asalto fueron transbordados en pontones; en algunos lugares, los cañones antitanques de 85 mm fueron arrastrados por el agua al extremo de cables. Provistas de estas armas, y con una pesada barrera de fuego avanzando por delante de ellas, las unidades de ataque se abrieron camino firmemente hacia el oeste desde el río. A las 8:35 a.m. los ingenieros habían construido más de 20 puentes lo bastante fuertes como para soportar la carga de 30 y 60 toneladas de los vehículos blindados, y los dos ejércitos acorazados iniciaron su operación de cruce que duraría todo el día.

El Cuarto Ejército Panzer, que se enfrentaba a Kóniev en el lado alemán del Neisse, quedó anonadado por el asalto; la inteligencia alemana había proyectado un ataque soviético más al sur, en dirección a Praga. Las fuerzas del Cuarto Ejército Panzer y sus unidades de reserva se encontraron muy pronto con rusos muy al oeste del Neisse y a todo lo largo de sus flancos. En algunos lugares los defensores contraatacaron; por todas partes formaron islas de resistencia que parecieron contener el empuje del enemigo hacia el oeste.

El primer informe de combate del Cuarto Ejército Panzer

LOS GENERALES DE STALIN

Mariscal Gueorgi K. Zhúkov
Stalin recompensó a Zhúkov, su general favorito, con la principal misión en la batalla de Berlín, situando el Primer Grupo de Ejército Bielorruso en el punto más cercano a la capital alemana. Zhúkov, en sus tiempos soldado de caballería, llevó a cabo una estrategia agresiva que fue uno de los factores principales en aplastar la invasión de Hitler de Rusia y le ayudó a ganarse el título de Salvador de Moscú. De hecho, Zhúkov era ampliamente considerado como el heredero aparente del premier Stalin.

Mariscal Iván S. Kóniev
Llamado «el general que nunca se retiró» debido a que cedió menos terreno que otros en la invasión alemana de 1941, Kóniev fue nombrado para conducir el Primer Grupo de Ejército Ucraniano en el flanco sur de Zhúkov, una oportunidad, como lo vio Kóniev, de ganarle a Zhúkov en la carrera hacia Berlín. Exigente, abstemio y culto –incluso en el frente llevaba consigo clásicos como *Guerra y paz* de Tolstói y la *Historia de Roma* de Livy–, Kóniev gozaba de una gran consideración entre sus oficiales y hombres.

Mariscal Konstantin K. Rokossovski
La protección del flanco norte de Zhúkov fue asignada al Segundo Grupo de Ejército Bielorruso, conducido por el disidente Rokossovski. Rokossovski odiaba aguardar órdenes y discutía –incluso con Stalin– las tácticas. Sus brillantes dientes de metal reemplazaban aquellos perdidos en los interrogatorios del NKVD cuando Stalin purgó el Eejército Rojo en 1937-1938. Rehabilitado a tiempo para reivindicar su no ortodoxia, recibió los honores inmediatamente después de Zhúkov por su actuación en la batalla de Moscú.

al Grupo de Ejército Centro decía: «Nuestras líneas mantienen en general sus posiciones». Sin embargo, mientras se estaba transmitiendo el informe, el empuje hacia el norte de Kóniev había creado un agujero de casi 30 kilómetros en las defensas alemanas y se estaba acercando a Spremberg, una ciudad junto al río Spree a 120 kilómetros al sureste de Berlín..., en la parte de atrás de la línea de defensa principal alemana.

Desde los altos de Seelow hasta el norte del Cuarto Ejército Panzer, el primer informe del Noveno Ejército sobre la lucha era también alentador, pero tenía armónicos ominosos: «El ataque ha sido rechazado; la lucha todavía sigue en algunas posiciones. Las pérdidas son muy cuantiosas». Desde el punto de vista alemán, la situación podría haber sido mucho peor. Aunque las unidades soviéticas habían efectuado penetraciones de unos cuantos kilómetros, en realidad lo que habían conquistado era terrenos pantanosos no defendidos.

Zhúkov estaba furioso. En lo que el teniente general Nikolai Popel, uno de los miembros del estado mayor del mariscal, llamó «un chorro de extremadamente vigorosas expresiones», el mariscal censuró a Chuikov el no haber conseguido tomar Seelow. Como Popel, Chuikov conocía bien el temperamento de Zhúkov, e intentó calmarle diciendo: «Camarada mariscal, seguro que la ofensiva tendrá éxito». Pero el mariscal no se sintió ablandado.

A las 2:00 p.m. del 16 de abril, con sus ejércitos mixtos claramente retrasados con respecto al horario de sus misiones de abrir agujeros en las líneas alemanas, Zhúkov decidió no aguardar más tiempo para lanzar sus dos ejércitos de carros de combate. Ordenó a los blindados que entraran en acción..., por carreteras ya atestadas por los camiones y los tanques del Octavo Ejército de Defensa a la izquierda y el Quinto y Tercer Ejércitos de Asalto en el centro y a la derecha.

General Vasili I. Chuikov
La punta de lanza del Primer Grupo de Ejército Bielorruso de Zhúkov fue el Octavo Ejército de Defensa, mandado por Chuikov, cuya actuación en Stalingrado lo señaló ya en 1943 para el honor de atacar Berlín. El Octavo de Defensa condujo los principales ataques, «como un boxeador –alardeó Chuikov– llamado a ir de un ring a otro». Chuikov era conocido como un soldado de soldados, nunca muy lejos del frente, y era famoso por su uso de los blindados en rápidos y abrumadores ataques.

General Pável S. Ribalko
Comandante del Tercer Ejército Acorazado de Defensa, Ribalko –un general de alto rango entre los tácticos de blindados soviéticos– condujo el trascendental avance al oeste del río Spree en la carrera hacia Berlín. Kóniev apreciaba la atención de Ribalko a los detalles logísticos y al mantenimiento de los vehículos, aspectos cruciales en la guerra de carros de combate, y respetaba su habilidad para discernir los momentos decisivos en la batalla. Ribalko, dijo Kóniev, «sabía exactamente cuándo y dónde tenía que estar».

General Dimitri D. Leliushenko
Comandante del Cuarto Ejército Acorazado de Defensa, Leliushenko condujo la sección blindada de la punta de lanza de Kóniev hacia Berlín. Con sólo 41 años en 1945, era un soldado robusto y entusiasta cuyos modales decididos encantaron al anterior candidato presidencial norteamericano Wendell Willkie en su visita de 1942 a Rusia. Preguntado cuántos de los más de 3.000 kilómetros del frente ruso tenía que defender Kóniev, el general respondió: «Señor, yo no estoy defendiendo, estoy atacando».

Los dos ejércitos de tanques avanzaron hacia una absoluta confusión. Esa parte del valle del Oder que mira a los altos de Seelow se convirtió pronto un galimatías de vehículos atorados y soldados yendo de un lado para otro. Sólo las unidades militares de cabeza estaban más allá de los enormes atascos de tráfico y capaces de luchar, y ésas los alemanes podían contenerlas.

De hecho, el general Busse tuvo la sensación de que podía mantener indefinidamente los altos si era reforzado. A última hora del día informó desde el cuartel general del Noveno Ejército: «El frente sigue manteniéndose; incursiones enemigas más profundas han sido contenidas. Envíen soldados; envíen munición». Su optimismo y su sensación de éxito eran compartidos por muchos oficiales. El general Heinrici, que pasó el día viajando de cuartel general en cuartel general y visitando posiciones en el frente, se mostró más circunspecto. Felicitado en un puesto de mando por la valerosa resistencia del Noveno Ejército, respondió: «He aprendido a no alabar nunca el día hasta que ha llegado el anochecer».

Al anochecer la precaución del general parecía justificada. La 9ª División de Paracaidismo, que había pasado con éxito su prueba de fuego, estaba al borde de ser arrollada. Tras su primera acción, los jóvenes soldados habían estado retrocediendo colinas arriba flanqueando la carretera, y ahora, en recién cavados pozos de tirador y trincheras y pozos de ametralladora, llevaban cuatro horas repeliendo un intenso ataque detrás de otro. Pese a todo, los rusos se habían establecido al norte del pueblo de Seelow y alrededor de la estación de ferrocarril; cuando cesó la lucha por la noche, el 30% de los hombres de la 9ª División de Paracaidismo estaban muertos.

Aquella noche, Zhúkov sufrió en una más bien desagradable conversación radiotelefónica con Stalin. Zhúkov tuvo que informar de su fracaso en tomar ninguno de los objetivos del día, y la noticia del éxito obtenido por Kóniev al oeste del Neissen exacerbó su humillación. Stalin reprobó a Zhúkov por meter el Primer Ejército Acorazado de Defensa en el sector de Chuikov, y luego le hizo a Zhúkov una insultante pregunta: «¿Tiene alguna seguridad de que tomará los altos de Seelow mañana?».

Más tarde Zhúkov admitió que estuvo a punto de perder su compostura, pero consiguió darle a Stalin la seguridad que deseaba. Luego Stalin aguijoneó a Zhúkov con la sugerencia de que los ejércitos acorazados de Kóniev podían ser desviados al norte para atacar Berlín. Zhúkov admitió que el movimiento era realizable, pero propuso una estrategia alternativa que esperaba que desviara la atención de Stalin de las fuerzas de Kóniev. Stalin le cortó con un seco «Adiós» y colgó.

El segundo día de batalla, alemanes y rusos actuaron movidos por su odio mutuo. Los rusos fusilaron a un cierto número de alemanes –tanto civiles como soldados capturados– a sangre fría, y ni siquiera las recientes y estrictas órdenes impidieron una epidemia de violaciones en las ciudades capturadas. Los alemanes también cometieron atrocidades. Cerca de la ciudad de Zechin, justo al este de los altos de Seelow, una unidad de las SS capturó a 16 rusos de un batallón del Tercer Ejército de Asalto; las tropas de las SS cortaron los genitales de los prisioneros y luego los estrangularon lentamente con cuerdas de piano. Por este motivo, el batallón soviético iba a cobrarse pronto una llamativa venganza.

Mientras se desarrollaba la acción el 17 de abril, la superioridad soviética en hombres y material empezó a dejarse sentir a lo largo de los altos de Seelow. Zhúkov puso en acción un ejército que había mantenido en reserva, el Cuarenta y siete, y aguijoneó a los comandantes de sus unidades encalladas hasta que consiguió que se pusieran de nuevo en movimiento. Concentró la mayor parte de sus blindados alrededor del pueblo de Seelow y en la ciudad de Wriezen, cerca del extremo norte de los altos; en ambos sectores, el 56º Cuerpo Panzer, una reserva de seis divisiones compartida por el Noveno Ejército y el Tercer Ejército Panzer, tuvo que enviar rápidamente unidades de refuerzo para evitar una brecha. De hecho, en Seelow, la carretera a Berlín estuvo completamente abierta durante un tiempo después de que los hombres de la 9ª División de Paracaidismo huyeran cuando su artillería agotó por completo su munición.

Para los alemanes, ahora parecía haber rusos por todas partes. «Seguían viniendo contra nosotros en hordas, oleada tras oleada, sin preocuparse por las pérdidas de vidas –informó por teléfono un comandante de división al cuartel general del Noveno Ejército–. Mis hombres siguen luchando hasta que se quedan sin munición. Entonces son eliminados o barridos por completo. Ignoro durante cuánto tiempo podrá continuar esto.»

Tras examinar los informes de la situación, Heinrici supo que tenía que contraatacar. Se enfrentaba a la derrota total en un frente lleno de agujeros, y resultaba difícil hallar reemplazos para taponarlos. Examinando uno de estos lugares con problemas, vio una forma de resolver un problema táctico y conseguir al mismo tiempo los hombres necesarios. A unos 30 kilómetros al sur de los altos de Seelow, en Frankfurt an der Oder, las unidades soviéticas del Sesenta y nueve Ejército de Zhúkov habían cruzado el río al norte y al sur de la ciudad. Más pronto o más tarde los soviéticos la aislarían del resto. Frankfurt tenía una guarnición de una fuerza abigarrada de unos 30.000 hombres al mando del coronel Ernst Bieler; si Heinrici podía retirar esos hombres, no sólo los salvaría, sino que también podría usarlos en un contraataque que permitiera a los alemanes recuperar la iniciativa y fortalecer sus defensas.

La idea de Heinrici era consistente, pero tenía un fallo importante: Frankfurt había sido designada como una fortaleza por el Führer en persona. La designación significaba que la ciudad tenía que ser defendida «hasta el último hombre y hasta la última gota de sangre», una frase que a Hitler le gustaba particularmente. Afirmando que una defensa hasta sus últimas consecuencias retendría allí a un número desproporcionadamente alto de soldados enemigos, el Führer había enviado decenas de miles de soldados alemanes a la muerte en un esfuerzo por retener docenas de ciudades y pueblos y miles de hectáreas de terreno. La teoría raras veces se había visto confirmada por la práctica, pero en muy pocas ocasiones había rebajado Hitler el status de defensa de una fortaleza designada a fin de salvar a los hombres que la defendían.

De todos modos, Heinrici telefoneó al *Führerbunker* y pidió a Hitler liberar la fuerza de Bieler para un contraataque. Hitler rechazó de inmediato la propuesta. Mantener Frankfurt era extremadamente importante, dijo; Heinrici tendría que buscar sus tropas en otra parte.

El punto en el que Heinrici deseaba lanzar su contraataque estaba en el sur, donde Kóniev había conseguido ahora abrir una enorme brecha; el Primer Grupo de Ejército Ucraniano había roto la articulación entre el Grupo de Ejército Vístula y el Grupo de Ejército Centro del mariscal Schörner en Checoslovaquia. En estos momentos, esta brecha era más peligrosa para los alemanes que las penetraciones de Zhúkov en el norte, puesto que si los ejércitos de tanques de Kóniev podían cruzar el río Spree sólo hallarían puñados de defensores entre ellos y Berlín.

Kóniev, para su pesar, todavía se dirigía hacia el Elba, no hacia Berlín, pero el 17 de abril seguía haciendo rápidos progresos. Por la mañana, sus dos ejércitos acorazados habían completado el cruce del Neisse y estaban avanzando hacia el Spree junto con sus ejércitos de punta de lanza, el Decimotercero y el Quinto de Defensa.

Las vanguardias de los ejércitos acorazados de Kóniev alcanzaron el Spree antes del mediodía; por aquel entonces el grupo de ejército había destruido virtualmente cuatro divisiones alemanas. El comandante del Tercer Ejército Acorazado de Defensa, el general Pavel S. Ribalko, decidió vadear el río en vez de aguardar la construcción de los pontones. Los exploradores hallaron unos bajíos al sur de Spremberg, y los tanques empezaron a cruzar de inmediato el río en medio de grandes chapoteos. El Cuarto Ejército Acorazado de Defensa, bajo el mando del general Dimitri D. Leliushenko, llegaron al Spree más al sur y empezaron también a vadear el río. Al cabo de tres horas, buen número de unidades de asalto de ambos ejércitos estaban en el otro lado.

Kóniev se apresuró a comunicar con regocijo todas estas buenas noticias a Stalin aquella noche. Hacia el final de su informe, Stalin le interrumpió y dijo: «Las cosas están bastante mal con Zhúkov. Todavía sigue martilleando las defensas». Luego desafió a Kóniev: ¿Sería posible retirar los blindados de Zhúkov de su frente, enviarlos a Kóniev, y dar el golpe contra Berlín desde el sur?

La sugerencia era absolutamente impracticable: retirar dos ejércitos acorazados de la batalla y trasladarlos a otro frente a 80 kilómetros de distancia detendría la ofensiva durante días. Además, si Kóniev usaba los blindados de Zhúkov, probablemente perdería el control de su frente en beneficio de su rival. Kóniev se apresuró a responder: «Camarada Stalin, esto tomaría mucho tiempo y complicaría enormemente la situación. No hay necesidad de transferir fuerzas acorazadas del Primer Grupo de Ejército Bielorruso. Las cosas están bien aquí. Tenemos suficientes fuerzas y nos hallamos en posición de dirigir nuestros dos ejércitos acorazados contra Berlín». Kóniev siguió explicando que sus ejércitos podían avanzar sobre la ciudad a lo largo de la carretera que cruzaba Zossen, el cuartel general del estado mayor general alemán, a unos 30 kilómetros al sur de la capital.

Entonces Stalin le dijo a Kóniev las palabras que deseaba oír: «Muy bien. De acuerdo. Dirija sus tanques hacia Berlín.»

Ahora se trataba de una carrera entre Kóniev y Zhúkov para tomar la capital. Kóniev, con el espíritu muy alto, ordenó a los comandantes de sus dos ejércitos acorazados que giraran hacia Berlín, tomando mucho cuidado de envolver sus límites occidentales a fin de aislar la ciudad. Las instrucciones de Kóniev para el movimiento, tal como contó en sus memorias, eran el esquema para una guerra relámpago: «Valientemente hacia delante, no miréis atrás; no luchéis contra los hitleritas en los puntos fuertes; no les ataquéis, bajo ninguna circunstancia, de frente. Flanqueadlos, maniobrad, cuidad de vuestro equipo y recordad siempre que debéis mantener fuerzas de reserva para la misión final..., luchar por Berlín».

Siguiendo estas órdenes, los tanques ignorarían un cierto número de divisiones enemigas contra las que se podía luchar y dejarían puntos fuertes a sus espaldas, para ser eliminados más tarde por sus ejércitos mixtos. Los hombres de Ribalko y Leliushenko, tras pasar su equipo por el Spree, trabajaron toda la noche para hacer girar sus tanques y camiones hacia Berlín. Los dos ejércitos acorazados iniciaron su marcha hacia el norte al amanecer. El 18 de abril, el ejército de Ribalko viajó 30 kilómetros contra una ligera resistencia, y el ejército de Leliushenko recorrió 45, hallando aún menos.

Mientras Kóniev desarrollaba su avance hacia la izquierda, Zhúkov todavía estaba luchando por ganar la batalla en los altos de Seelow. Sus blindados avanzaron 15 o 20 kilómetros hacia el suroeste de Seelow y al oeste de Wriezen, pero en ninguno de los dos sectores las defensas se hundieron o los tanques consiguieron abrir una brecha. Zhúkov seguía furioso, sin dejar de efectuar movimientos temerarios y atolondrados; lanzó al combate al personal de retaguardia de intendencia y servicios, y dio órdenes de disparar contra cualquier soldado que no avanzara. «Tenemos un león en nuestras manos», dijo el general Popel.

La frenética actuación de Zhúkov fue una sorpresa para los oficiales alemanes, que habían esperado que sus miles de tanques pulverizaran sistemáticamente las defensas. Hitler y los demás ocupantes del *Führerbunker* se sintieron jubilosos y, señaló un oficial de enlace naval, «las voces de esperanza sonaron fuertes».

Era el 18 de abril. Las esperanzas alemanas se hundieron al día siguiente: Zhúkov abrió una brecha. Sus unidades en el área de Seelow, incluido el Octavo Ejército de Defensa y el Primer Ejército Acorazado de Defensa de Chuikov, se abrieron camino hasta tan lejos como Müncheberg, a 30 kilómetros al este de los límites urbanos de Berlín. La configuración del desastre que amenazaba al Reich era fácil de ver: las fuerzas del norte de Zhúkov se hallaban ahora en posición de barrer hacia el oeste alrededor de Berlín y reunirse con las unidades blindadas de Kóniev que avanzaban en esa dirección desde el sureste; si ocurría esto, la ciudad quedaría rodeada.

Los tanques de Kóniev avanzaban rápido. Las fuerzas del general Leliushenko cubrieron más de 50 kilómetros el 19 de abril, y el ejército del general Ribalko registró unos 14 kilómetros. (Kóniev no estaba satisfecho, porque había sabido que Zhúkov estaba al fin adquiriendo velocidad. «Camarada Ribalko –radió–, se mueve usted como un caracol.»)

Con las amenazas gravitando por todas partes, Heinrici intentó de nuevo conseguir que Hitler liberara a los hombres de Bieler de la fortaleza de Frankfurt. La llamada de Heinrici al *Führerbunker* fue respondida por el teniente general Hans Krebs, jefe de estado mayor del ejército. Krebs, un oficial educado con poca experiencia como comandante, había reemplazado al general Guderian tres semanas antes, después de que el veterano experto en tanques fuera relevado por discutir con Hitler. Krebs nunca sería acusado de una ofensa así; los críticos del estado mayor lo llamaban un «asno asentidor»: siempre decía que sí.

Cuando Heinrici explicó que deseaba retirar las fuerzas de Frankfurt, Krebs se mostró tan horrorizado por la petición que ni siquiera quiso transmitírsela al Führer. «¡Hitler nunca aceptará esto! –exclamó–. ¡Mantenga todas las posiciones!» Luego colgó el teléfono.

El 20 de abril, el Cuarto Ejército Acorazado de Defensa de Leliushenko cubrió más de 45 kilómetros contra una resistencia cada vez más intensa. Su ejército giró hacia el oeste, engulló el enorme depósito de municiones alemán de Jütebog y alcanzó la ciudad de Luckenwalde, a unos 35 kilómetros al sur de Berlín. El Tercer Ejército Acorazado de Defensa de Ribalko, que había tenido un avance más fácil hacia el este, recorrió más de 60 kilómetros aquel día.

Una vez Ribalko avanzó hacia el norte más allá de Baruth, sólo una unidad enemiga estaba en posición de enfrentarse a su avance hacia Zossen. Era un escuadrón mecanizado de 250 hombres con base en Zolssen para la seguridad del estado mayor general alemán; estaba mandado por un teniente llamado Kränkel. El general Krebs decidió que era mejor atacar que ser atacado; envió a Kränkel al sur para enfrentarse al ejército de carros de combate de Ribalko.

Durante un tiempo pareció que el escuadrón de Kränkel había desaparecido sin dejar rastro. Pero hacia el amanecer del 21 de abril, el capitán Gerhardt Boldt, un oficial asignado a la pequeña oficina en Berlín del estado mayor general, fue despertado por una llamada telefónica. Era Kränkel, que llamaba desde el sur de la capital. «Unos cuarenta tanques rusos nos han rebasado –dijo, e informó de que los tanques iban acompañados por infantería motorizada–. Debo atacar a las siete.» Dos horas más tarde, Kränkel llamó de nuevo con la predecible noticia: «Mi ataque ha fracasado con abundantes pérdidas. Mis tanques de reconocimiento informan de más tanques enemigos que avanzan hacia el norte».

Esto impulsó incluso a Krebs a suplicarle a Hitler que le permitiera abandonar y destruir Zossen antes de que fuera demasiado tarde. Finalmente le fue concedido el permiso, pero tan tarde que cuando el personal de la oficina de Zossen huyó de los tanques enemigos dejaron operativas las líneas de comunicaciones y los mapas aún en las paredes. El propio Kränkel se presentó en el *Führerbunker* en Berlín, exhausto y cubierto de lodo, para informar de que su escuadrón se había visto reducido a unos 35 hombres y unos pocos vehículos.

Mientras la ofensiva de Ribalko tomaba Zossen y se acercaba a 30 kilómetros de Berlín, Zhúkov conseguía llegar aún más cerca de la ciudad el 20 de abril. Su Segundo Ejército

Un equipo de artillería alemán maneja un cañón antiaéreo convertido en antitanques contra las cabezas de puente rusas al otro lado del Oder. Estos cañones, utilizados para llenar los huecos en el agotado arsenal del ejército alemán, demostraron ser muy efectivos. Pero, con poco transporte pesado disponible para trasladarlos, muchos tuvieron que ser dejados atrás cuando los alemanes abandonaron sus posiciones.

Acorazado de Defensa capturó Bernau, justo a 15 kilómetros al noroeste de Berlín, y se encaminó hacia Oranienburg, a 30 kilómetros al norte de la capital. Mientras tanto, el flanco izquierdo de las fuerzas de Zhúkov consiguió hacer penetrar una columna blindada al suroeste hasta Fürstenwalde, tras las líneas del Noveno Ejército alemán, a un poco más de 30 kilómetros al este de Berlín.

Este avance, junto con la imparable marcha de Ribalko en el norte, amenazaba con atrapar una parte importante del ejército de Busse. Heinrici pidió a Krebs que obtuviera el permiso de Hitler para que el Noveno Ejército se retirara a una posición más cercana a Berlín. Esta vez Krebs transmitió la petición al Führer, que la meditó durante la mayor parte del día y finalmente le dio instrucciones a Heinrici para que le dijera a Busse que retuviera todas las posiciones pero que de alguna forma protegiera sus flancos. Aunque Busse se daba cuenta de que su ejército tenía que retirarse si no quería verse aislado, agradeció la firme orden por una razón que le honra: no deseaba retirarse y dejar las fuerzas de Bieler completamente aisladas y posteriormente trituradas en la fortaleza de Frankfurt.

Heinrici recibió también dolorosas noticias de los 100.000 hombres del Tercer Ejército Panzer. En el norte, más allá de la penetración de Zhúkov, el Segundo Grupo Bielorruso del mariscal Rokossovski se había unido ahora a la ofensiva y estaba formando numerosas cabezas de puente en la orilla izquierda del Oder, entre Stettin y Schwedt. Eran los primeros pasos hacia una profunda penetración por parte de Rokossovski, cuya meta era ayudar a rodear Berlín y ocupar la llanura alemana del norte. Frente a Rokossovski, el Tercer Ejército Panzer estaba mandado por el general Manteuffel.

El ejército de Manteuffel era una lamentable colección de divisiones muy vapuleadas o sin experiencia; un apreciable número de sus unidades habían sido tomadas por Heinrici de otros lados para oponerse al triturador avance de Zhúkov. Rokossovski necesitaría dos o tres días para desarrollar sus cabezas de puente y acumular la fuerza suficiente para su penetración, pero después de ese intervalo no podía esperarse que Manteuffel mantuviera la línea defensiva alemana durante más que unos pocos días.

Entre todos estos incipientes desastres, Adolf Hitler celebró su 56 cumpleaños. Las fuerzas aéreas aliadas también lo celebraron, enviando más de 1.000 aviones para acabar de pulverizar los escombros de Berlín. Durante aquel día de autocongratulaciones para el Gran Señor nacional socialista, sus principales vasallos acudieron a presentarle sus respetos. Hitler los saludó a todos cordialmente, incluso a Speer, que recientemente había caído en desgracia por expresar su oposición a la política de tierra quemada del Führer.

El mariscal del Reich Göring apareció cordialmente fanfarrón, pero no con su habitual esplendor en su atuendo: en

lugar del ostentoso traje de lino blanco, seda azul pastel o gris iridiscente que Göring había lucido en los grandes días del Tercer Reich, ahora llevaba un simple uniforme verde oliva, con el aspecto de un general norteamericano, como susurró un invitado a la fiesta de cumpleaños a Speer, implicando que Göring estaba ya abandonando a Hitler para buscar refugio entre el enemigo. Göring había acudido a la fiesta desde Karinhall, su finca a 80 kilómetros al noroeste de Berlín, donde había llenado 24 camiones con tesoros de arte y otros objetos valiosos robados, y luego hecho volar por los aires la mansión. Göring había perdido desde hacía tiempo el favor del Führer debido al fracaso de la Luftwaffe, pero este día Hitler no parecía guardar rencores.

Otro invitado, el Reichsführer-SS Himmler, también había perdido la estima de Hitler, como resultado de su breve y desastrosa tarea como comandante general del Grupo de Ejército Vístula durante el avance soviético a través de Polonia en enero. El Reichsführer-SS estaba ahora conspirando para cometer traición a gran escala. Con la connivencia del brigadier general de las SS Walter Schellenberg, su joven jefe de inteligencia extranjera, Himmler –que había hablado con un representante suizo del Congreso Mundial Judío– había dicho que liberaría un número determinado de judíos del campo de concentración de Ravensbrück para ser pasados clandestinamente a países neutrales. El gesto de Himmler tenía la finalidad de redimir su mala reputación en Occidente a fin de poder negociar una paz alemana separada con los Estados Unidos y Gran Bretaña.

Himmler y Schellenberg mostraban así una notable capacidad de autoengaño. Creían que los aliados occidentales, que habían insistido en la rendición incondicional del Reich durante toda la guerra, y que estaban ahora al borde de la victoria absoluta, iban a sentarse con Himmler, un hombre que había enviado a sangre fría a millones de personas a su muerte, para negociar una rendición que traicionara a su aliado, la Unión Soviética.

El gran almirante Dönitz bajó de su cuartel general en Plön, cerca del Báltico, para estar con Hitler en su cumpleaños. Nazi por disposición aunque no por afiliación formal, Dönitz era un jerarca cuya estrella estaba últimamente en ascenso. Se había ganado su puesto como comandante en jefe de la Marina con su soberbio trabajo como líder de los submarinos. El propio Hitler había concedido a los aviones y los tanques una mayor prioridad que a los submarinos, de modo que no culpó a Dönitz cuando resultó claro que los submarinos alemanes no poseían la tecnología necesaria para derrotar al radar, los convoyes y los portaaviones de los aliados.

Dönitz era eficiente y despiadado, un hombre del completo agrado de Hitler, y más aún porque no era el líder de los fracasados Ejército o Luftwaffe. Como apreciación por todo ello, el 20 de abril Hitler reafirmó el nombramiento anterior de Dönitz como comandante de todos los territorios alemanes del norte en el caso de que la Unión Soviética y los Estados Unidos se dieran la mano, dividiendo así el Reich de este a oeste. El mariscal de campo Kesselring, conocido como un hombre devoto de Hitler, mandaría los territorios del sur.

Sobre el tema del mando, los principales nazis urgían repetidamente a Hitler que abandonara Berlín y dirigiera la guerra desde el Berghof, su finca cerca de Berchtesgaden, en los Alpes bávaros. Allí, en las profundidades de una montaña llamada el Obersalzberg, se encontraba un centro de comunicaciones superado en tamaño y calidad tan sólo por Zossen. Buena parte del gobierno había partido ya hacia el Obersalzberg, y la jerarquía nazi había supuesto que el Führer les seguiría pronto. Pero Hitler lo iba postergando. «No estoy siendo indeciso –anunció–. Saben muy bien que a veces retraso una decisión, pero cuando la tomo nadie puede sacármela de la cabeza. Decidiré más tarde lo que debo hacer.»

Puede que no dispusiera de este lujo, le dijo Göring a Hitler; sólo quedaba abierta una ruta de escape por tierra, y podía cerrarse en cualquier momento. Hitler replicó con ampulosidad: «¿Cómo puedo pedir a las tropas que emprendan la batalla decisiva si yo me retiro a un lugar seguro? ¡Debo dejar al destino si debo morir en la capital o volar al Obersalzberg en el último momento!».

Los nazis aguardaron la habitual conferencia de situación de media tarde, y luego la reunión de cumpleaños empezó a dispersarse. Göring estrechó la mano del Führer, murmurando que tenía trabajo urgente que hacer supervisando los asuntos en el Obersalzberg; Hitler le miró con aire ausente y respondió con unas pocas palabras indiferentes. «Yo estaba de pie a tan sólo unos palmos de los dos –escribió más tarde Speer–, y tuve la sensación de estar presenciando un momento histórico: El liderazgo del Reich se estaba escindiendo en dos.»

Dönitz partió para establecer el nuevo cuartel general de mando del norte en Flensburg, justo al sur de la frontera danesa. Himmler se detuvo en el cuartel general de su castillo en Ziethen, cerca de Berlín, fuego partió antes del amanecer para asistir a dos reuniones secretas, preparadas en su nombre por Schellenberg. La primera reunión era en la finca de Felix Kersten, el masajista de Himmler, con Norbert Masur, un sueco que representaba al Congreso Mundial Judío. Himmler prometió liberar clandestinamente a 1.000 judíos de Ravensbrück, pero dijo que necesitaría etiquetarlos como polacos en vez de como judíos para hacer más fácil para Masur mantener en secreto su llegada a Suecia. Masur no puso objeciones.

Más tarde Himmler desayunó con el diplomático sueco conde Folke Bernadotte, que Himmler esperaba que estuviera de acuerdo en servir como intermediario entre él y las autoridades norteamericanas. Se reunieron en el sanatorio del doctor Karl Gebhardt, el médico de Himmler, que en su tiempo libre realizaba experimentos médicos con prisioneros de los campos de concentración. Para impresionar a Bernadotte con su buena voluntad, Himmler habló de su conversación con Masur, y remató su oferta predesayuno afirmando que estaba dispuesto a liberar a *todas* las mujeres de Ravensbrück. Sin embargo, Bernadotte no pudo ser convencido de actuar como intermediario.

Uno de los últimos en marcharse después de la fiesta de cumpleaños de Hitler fue Albert Speer; se quedó para discutir con Goebbels. Como *Gauleiter*, o líder nazi del distrito, de Berlín, Goebbels tenía ciertas responsabilidades en la defensa municipal, y Speer había oído que planeaba volar el centenar y pico de puentes de la capital para obstruir el avance de los rusos. Speer imploró a Goebbels que no siguiera adelante con el plan; la destrucción de los puentes, dijo, cortaría la llegada de alimentos a la ciudad y haría que todo el mundo que sobreviviera a la batalla muriera de hambre.

Tras una larga discusión, Goebbels aceptó destruir los puentes tan sólo y si se convertían en objetivos estratégicos en el transcurso de la batalla, una concesión que el general Krebs se apresuró a comunicar a Hitler. Probablemente por deferencia a Goebbels, el Führer aceptó su decisión. A aquellas alturas Hitler tenía a Goebbels en tan gran estima como un claro y antiguo mantenedor de la fe nazi, que le había pedido que él y su familia se trasladaran al búnker para enfrentarse a la inminente prueba.

El 21 de abril, los soldados soviéticos de pie en las colinas o en los edificios altos podían ver su meta, Berlín, en la distancia, envuelta en humo a causa de las incursiones de bombardeo norteamericanas de la noche anterior. (Más tarde, un cierto número de unidades reclamaron el honor de haber visto Berlín primero, haber disparado contra ella primero, haber puesto el pie en ella primero. Ninguna de estas afirmaciones fue probada nunca.)

Una de las primeras tropas en ver Berlín fue el batallón del Tercer Ejército de Asalto que había perdido 16 hombres capturados, mutilados y muertos cerca de la ciudad de Zechin. Los hombres obtuvieron su visión de la ciudad desde una colina a unos 15 kilómetros al noreste mientras se acercaban a la línea exterior de defensas de Berlín, que seguía la autopista de 120 kilómetros que circundaba la capital. Allá el comandante del batallón, el capitán Stephan Neustroyev, recibió la bandera de la división soviética: cada división que entrara en Berlín lucharía por el honor de colocar la bandera en lo alto del Reichstag como símbolo de la victoria final rusa, aunque el edificio no había sido usado desde su destrucción parcial por el fuego en 1933. El comandante de la división dijo: «No quiero ver ninguna otra bandera en el Reichstag, Stephan». Neustroyev respondió con una sonrisa: «Comprendo, camarada general. Haré lo posible por evitar ser sometido a un consejo de guerra».

No muy lejos, una batería de artillería de la 266ª División del Quinto Ejército de Asalto se convirtió en una de las primeras en bombardear Berlín. «Ante nosotros se extendía una enorme ciudad –escribió el sargento Nikolai Vasiliev–. Una sensación de alegría y exultación nos invadió. Aquélla era la última posición enemiga, y la hora de la venganza había llegado al fin. Ni siquiera nos dimos cuenta de un coche que se detenía a nuestro lado. De él bajó nuestro comandante del ejército, el general Berzarin. Dio una orden a nuestro oficial en jefe: "Blanco: los nazis en Berlín. ¡Abran fuego!" La batería empezó a disparar proyectiles sobre los que habíamos escrito: "Por Stalingrado", "Por Ucrania", "Por los huérfanos y viudas" y "Por las lágrimas derramadas por nuestras madres".»

Puede que aquellas andanadas fueran las primeras en alcanzar el centro de Berlín. Los proyectiles llegaron aullando a la Hermannplatz exactamente a las 11:30 a.m. Los compradores que aguardaban formando cola en el almacén de Karstadt oyeron su llegada demasiado tarde. Unos momentos después la plaza estaba sembrada de muertos y heridos.

El resonar de la artillería cerca de la Cancillería del Reich impresionó y desconcertó a Hitler. Al principio creyó que los rusos habían construido un puente de ferrocarril que cruzaba el Oder y estaban disparando con un cañón de asedio montado sobre raíles con un alcance de quizá 80 kilómetros. Un oficial de la Luftwaffe le explicó que no existía este puente de ferrocarril, y Hitler guardó silencio.

Alucinado como estaba, Hitler adoptó uno de sus roles tradicionales, el de un hacedor de milagros militares. Presentó a sus comandantes un plan en tres fases para reconstruir el roto frente y asegurar la salvación del Tercer Reich.

La primera fase ya estaba en marcha, explicó Hitler. A doscientos kilómetros al sur de Berlín, unidades del Cuarto Ejército Panzer del mariscal de campo Schörner estaban contraatacando en los alrededores de Görliz y avanzando poco a poco. Aunque Schörner nunca afirmó nada al respecto, Hitler aseguró que el contraataque de las unidades panzer cerraría el agujero que Kóniev había practicado en la línea de defensa..., un agujero que en aquellos momentos tenía ya 65 kilómetros de ancho.

Como segunda fase, Hitler ordenó al Noveno Ejército que se dirigiera al este, alejándose del Oder, diera la espalda a Zhúkov, y se preparara para repeler los ejércitos que Kóniev estaba lanzando hacia el norte, en dirección a Berlín, atacando su flanco. El Führer no especificó cómo realizar esta maniobra. (El movimiento nunca fue iniciado.)

Finalmente fue presentada la pieza central del plan de Hitler, un contraataque que había planeado para el general de las SS Felix Steiner. Steiner era uno de esos líderes entusiastas y espectaculares que a los ojos de Hitler no podían fallar. Antiguo oficial del ejército regular que se había presentado voluntario antes de la guerra para el naciente ejército nazi llamado las Waffen-SS, Steiner había servido con arrojo tanto en el Frente del Este como en el del Oeste, muy recientemente como comandante del Onceavo Ejército Panzer SS en Pomerania. Cuando Steiner y los restos de su ejército regresaron de Pomerania, fueron integrados en el Tercer Ejército Panzer del general Manteuffel como parte del Grupo de Ejército Vístula, estacionado al norte de Berlín.

Pero el comandante del Grupo de Ejército Heinrici, críticamente falto de tropas frente a la ofensiva soviética, había sido incapaz de dejar a las unidades de Steiner intactas dentro del Tercer Ejército Panzer mientras las fuerzas de las líneas del frente reunidas delante de Berlín iban siendo aniquiladas. Ya el 16 de abril, Heinrici separó la 18ª División de Granaderos Panzer del ejército de Steiner y la envió a reforzar los altos de Seelow. Dos días más tarde, Heinrici ordenó a Steiner que despachara la 11ª División de Granaderos Panzer SS al sur para defender Berlín, y que enviara la dura Brigada SS «Nederland», otra unidad de Steiner, más al sur para frenar la brecha abierta por Kóniev. El 21 de abril, como dijo más tarde Steiner, exagerando sólo ligeramente, «era un general sin ninguna tropa».

En este punto Hitler ordenó a Steiner que atacara a través del flanco norte de las fuerzas de Zhúkov, que avanzaban con rapidez, a fin de consolidar el frente alemán a lo largo del Oder. El Führer se sorprendió al saber que Steiner no tenía virtualmente fuerzas de combate, pero Hitler lo arreglaba todo rápidamente..., al menos a su propia satisfacción. Asignó al Grupo Operativo de Steiner tres divisiones y algunos restos sueltos de aquí y de allá, entre ellos las juventudes hitlerianas y los equipos de tierra de la Luftwaffe. El Führer se sintió tan satisfecho con este arreglo que le dijo a Steiner: «¿Lo ve?, los rusos van a sufrir todavía la más grande y sangrienta derrota de su historia en las puertas de Berlín».

Hitler esperaba que Steiner atacara de inmediato, pero las divisiones que acababa de adjudicarle estaban dispersas por todo el Gran Berlín. Primero había que agruparlas, probablemente rearmarlas y luego desplegarlas, y Steiner tenía que

efectuar todo este difícil y lento trabajo sin fuentes seguras de transporte o aprovisionamiento. Sólo tenía una directriz del Führer para intimidar a los funcionarios no cooperativos: «Los oficiales que no acepten esta orden sin reservas serán arrestados y fusilados de inmediato». La orden incluía también una amenazante nota para Steiner: «Le hago a usted responsable con su cabeza de la ejecución de esta orden».

Como autodefensa, Steiner telefoneó a Heinrici y le dijo que simplemente el ataque no podía ejecutarse tal como había sido ordenado. Heinrici se mostró exasperado, pero había poco que pudiera hacer para tranquilizar a Steiner. Además, tenía sus propias preocupaciones. Pese a las soluciones de Hitler sobre el papel, la situación se estaba deteriorando muy rápidamente para el Noveno Ejército, y a Heinrici se le seguía negando el permiso para retirar sus tropas. Heinrici estaba convencido de que el Noveno Ejército sería rodeado y se perdería por completo si no era retirado aquella misma noche, y el 21 de abril llamó al general Krebs para expresarle su preocupación.

Heinrici vino a decir que simplemente no había suficientes tropas disponibles para reconstruir una línea sólida en el Oder, y que por esta razón era esencial retirar el Noveno Ejército y situarlo más cerca de la ciudad, donde los hombres disponibles podrían concentrarse en una línea más corta. «En realidad –concluyó—, lo que debería hacer es ir al Führer y decirle: "Mein Führer, solicito que me releve usted del mando. Entonces podré hacer mi deber como miembro de la Volkssturm y luchar contra el enemigo."» Krebs respondió: «¿Quiere realmente que le transmita esto al Führer?».

«Lo exijo –dijo Heinrici–. Mi jefe de estado mayor y mi oficial de operaciones son mis testigos.»

Unos pocos minutos más tarde, Krebs llamó de vuelta. Las órdenes del Führer, dijo, eran que el Noveno Ejército permaneciera donde estaba y luchara.

A la mañana siguiente, 22 de abril, Hitler estaba sentado rebuscando entre montones de informes y pidiendo noticias del ataque de Steiner. Supo que Zhúkov había avanzado 50 kilómetros más allá de Oranienburg, rebasando completamente Berlín por el flanco norte y empezando a girar hacia el sur. La vanguardia de Kóniev había luchado hasta un punto a ocho kilómetros al sur de la capital, se le comunicó, y los cañones de Kóniev, junto con los de Zhúkov, estaban castigando Berlín. Pero Hitler no podía averiguar cómo se las estaba arreglando Steiner; el general Krebs no hacía más que repetir que no había nada definitivo que informar.

Hitler intentó obtener información del general Eckardt Christian, el oficial de enlace de la Luftwaffe, que tenía que saber las acciones de Steiner porque se le había ordenado que enviara los excedentes de los equipos de tierra de la Luftwaffe a Steiner. Sin embargo, el general no sabía nada, y telefoneó al jefe de estado mayor de la Luftwaffe, el general Karl Koller, que tampoco sabía nada pero dijo que intentaría averiguarlo. Casi como si hubiera adivinado lo que Hitler deseaba oír, Koller informó al poco tiempo que Steiner estaba prácticamente preparado para atacar. Luego otros parecieron seguir la misma línea. El cuartel general del Ejército anunció que Steiner había atacado, y cuando se le preguntó a Himmler qué sabía, respondió que era positivo que Steiner había atacado.

Los hechos eran completamente distintos. Steiner apenas había conseguido reunir 10.000 hombres, la mayoría de ellos desarmados, y estaba desplegándolos apresuradamente a lo largo del canal Finow al noreste de Berlín. Allí, dentro del radio de tiro de los cañones –si los hombres de Steiner hubieran dispuesto de artillería–, la infantería de Zhúkov se estaba desplegando al suroeste hacia la capital, y los blindados de Zhúkov retumbaban hacia el oeste para flanquear la ciudad desde el norte. Steiner no tenía la menor idea de cuándo, y si, podría atacar.

Hitler, no satisfecho con los informes que estaba recibiendo y carcomido por profundas sospechas, abrió su conferencia de situación de media tarde sin una pizca de información coherente sobre el ataque de Steiner. El mariscal de campo Keitel y el general Jodl informaron a Hitler de prácticamente todo lo demás, remarcándole en particular que la columna norte de Zhúkov estaba girando hacia el suroeste más allá de Oranienburg y que probablemente se uniría alrededor de Potsdam con la punta de lanza de Kóniev dentro de una semana. Temblando de ira, Hitler exigió saber noticias del ataque de Steiner. Krebs confesó finalmente que el ataque no se había iniciado, que el grupo de Steiner todavía se estaba organizando.

El Führer se sumió en un auténtico frenesí. No era una mera rabieta como la que sus asociados veían regularmente; se mostró tan violento que asustó incluso a los más endurecidos testigos de sus furias. Fuera de control, con los ojos desorbitados, el rostro púrpura, Hitler gritó que todo el mundo le había mentido y traicionado y desertado, que ahora incluso sus propias SS le habían fallado, y que el Tercer Reich estaba en bancarrota. «¡La guerra está perdida!», exclamó..., la primera vez que hacía esta admisión sin calificativos. Todo había terminado, exclamó el Führer; se quedaría en Berlín y se pegaría un tiro cuando llegaran los rusos. Y luego se derrumbó en un absoluto silencio, con la mandíbula colgando y los ojos vidriados, más aterrador aún de ver que en pleno acceso de furia.

Un grupo de cansados prisioneros de guerra alemanes, algunos del medio millón que los rusos afirmaron haber capturado durante las batallas finales entre el río Oder y Berlín, hace una pausa en su larga marcha hacia el este a la prisión en la Unión Soviética. El cartel superior de las señales de carretera apunta a Berlín, a 42 kilómetros detrás de ellos. Se enfrentaban a un deprimente futuro: de los cerca de 3,5 millones de prisioneros hechos por los soviéticos, casi la mitad murieron en cautividad, y unos 50.000, etiquetados como «criminales de guerra», estuvieron en prisión hasta 1956.

Los oficiales rodearon a Hitler, le hablaron, murmuraron palabras tranquilizadoras y de ánimo, intentaron devolverle a la vida. Le dijeron que no todo estaba perdido. El ejército de Schörner, señalaron, todavía era fuerte en Checoslovaquia; lo mismo podía decirse de las fuerzas del mariscal de campo Kesselring en Austria y en el sur de Alemania. El Führer, animaron, debía ir al Obersalzberg y continuar la guerra desde allí. Hitler salió de su trance. Dijo a los generales que podían y de hecho debían abandonar Berlín, pero declaró: «Yo debo defender la ciudad hasta el final. O gano esta batalla por la capital del Reich, o caeré como un símbolo del Reich».

La conferencia siguió durante otras tres acaloradas horas. Uno a uno, los oficiales se disculparon para ir a telefonear la noticia del derrumbamiento de Hitler a sus cuarteles generales. El oficial de enlace naval, el contraalmirante Hans-Erich Voss, informó al almirante Dönitz en Plön. El general de división Hermann Fegelein, el oficial de enlace de Himmler y cuñado de la amante de Hitler Eva Braun, soltó toda la historia. Himmler se sintió tan trastornado que telefoneó a Hitler dos veces para animarle a mantener la lucha y para prometerle algunas tropas de las SS para la batalla. Luego, inspirado por el derrumbe de Hitler para hacer planes para la sucesión, preparó otro encuentro con el conde Bernadotte. Se reunieron por la tarde del 23 de abril en el consulado sueco en el puerto del Báltico de Lübeck, y esta vez Bernadotte aceptó –aunque con perspectivas pesimistas– pasar la petición escrita de Himmler a su gobierno para ser transmitida a los aliados.

La reunión de Hitler se ocupó de otros temas además de la situación de la inmediata batalla de Berlín, y todos esos temas eran de importancia histórica. En un punto determinado los generales, tras darse cuenta aparentemente de que Hitler parecía lavarse las manos en todas las decisiones militares excepto las relativas a la lucha por Berlín, le imploraron que no les abandonara. «No puede dejar la Wehrmacht en la estacada –suplicó Keitel–. Es absolutamente imposible, después de que nos ha estado dirigiendo y guiando durante tanto tiempo, que simplemente deje de lado a su estado mayor y espere que nos las arreglemos por nosotros mismos.»

¿Quién iba a darles órdenes?, preguntó alguien. No yo, respondió Hitler; tendrían que preguntarle al mariscal del Reich Göring. Nadie lucharía por Göring, observó Keitel; Hitler señaló: «Ya no queda mucha lucha que librar, y cuando llegue el momento de negociar, el mariscal del Reich puede hacerlo ciertamente mucho mejor que yo».

Esta observación fue una clave importante para los acontecimientos que siguieron, una secuencia melodramática que finalmente condujo a la caída de Hermann Göring. En el calor del momento, el general de la Luftwaffe Christian llegó a la conclusión de que Hitler estaba renunciando como Führer para que Göring pudiera negociar una paz. Como subordinado de Göring en la Luftwaffe, Christian sintió una gran necesidad de discutir esto con su inmediato superior, el general Koller; pero Christian no estaba dispuesto a confiar un asunto tan importante al teléfono. Cruzó apresuradamente Berlín hasta el cuartel general de la Luftwaffe en Krampnitz, cerca de Potsdam, y allí le comunicó el asunto a Koller en persona.

Koller decidió llevar personalmente la noticia a Göring, y con tal motivo requisó un avión, voló hasta Munich y luego fue en moto hasta el Obersalzberg. Cuando fue informado, Göring se sintió emocionado ante la perspectiva de su ascenso a Führer. Sabía que, en junio de 1941, Hitler había firmado una orden nombrando al mariscal del Reich su sucesor. De todos modos, Göring buscó cautelosamente asesoramiento legal del secretario de estado, Hans Heinrich Lammers. ¿Había emitido el Führer, preguntó Göring al abogado, algún decreto que invalidara la orden de junio de 1941? No, respondió Lammers. ¿Podía Göring suceder legalmente al Führer mientras Hitler aún estaba con vida? Nada lo impedía específicamente, dijo Lammers.

Con la ayuda de Lammers y otros, Göring redactó un telegrama a Hitler destinado a confirmar y autenticar su nueva posición. El mensaje era una obra maestra de tacto.

¡Mein Führer!

En vista de su decisión de permanecer en la fortaleza de Berlín, ¿está de acuerdo en que me haga cargo de inmediato del liderazgo total del Reich, con plena libertad de acción en el interior y en el exterior como su delegado? Si no recibo ninguna respuesta a las 10 en punto de esta noche, daré por sentado que ha perdido usted su libertad de acción, y deberé actuar en bien de los mejores intereses de nuestro país y de nuestro pueblo. Sabe lo que siento por usted en esta muy grave hora de mi vida. Me fallan las palabras para expresarme. Que Dios le proteja y acelere su venida aquí pese a todas las circunstancias.

Su leal
HERMANN GÖRING

Cuando el telegrama llegó al *Führerbunker*, cayó en manos de uno de los grandes enemigos de Göring, el jefe ejecutivo del Partido Nazi de Hitler, Martin Bormann. Bormann era amplia y cordialmente odiado; el general Guderian lo llamaba el «siniestro rufián». Bormann convenció rápidamente a Hitler de que Göring le había lanzado un ultimátum fijando la hora límite de las 10 de la noche para una respuesta. Antes de que transcurriera mucho tiempo, Bormann tenía a Hitler creyendo que Göring estaba intentando echarle de su cargo de Führer. Hitler aceptó la interpretación de Bormann sin mucha discusión y dictó un telegrama al cuartel general de las SS en Obersalzberg, ordenando el arresto de Göring, Lammers y Koller por alta traición. En consideración a sus anteriores servicios, perdonó sus vidas; Hitler le dijo a Goebbels que anunciara simplemente en la prensa que la mala salud había obligado a Göring a renunciar a todos su cargos, incluso el de Maestro de la Caza del Reich, un cargo que había mantenido desde 1930 y que le hacía responsable de la conservación de la caza en Alemania.

La trascendental reunión del 22 de abril en el *Führerbunker* tuvo una consecuencia mucho más importante que el tragicómico intento de Göring de hacerse con la sucesión nazi. El tema más vital fue una atrevida proposición del general Jodl calculada para renovar el interés del Führer en la guerra: casi al término de la conferencia, Jodl sugirió que el Doceavo Ejército alemán, que estaba al oeste frente a los norteamericanos protegiendo un tramo de casi 200 kilómetros del río Elba al suroeste de Berlín, diera la vuelta y atacara el avance de Kóniev desde la retaguardia, penetrara a través de las líneas rusas y entrara en la capital.

El plan, por supuesto, podía abrir el camino para que los norteamericanos avanzaran a su vez, pero Jodl tenía buenas razones para pensar que este riesgo era mínimo. Recientemente, bajo misteriosas circunstancias, el alto mando de las fuerzas armadas había adquirido una copia del plan de los aliados para la ocupación de Alemania. El plan, que ocupaba 70 páginas escritas a máquina e incluía mapas, mostraba que todo el territorio entre el Oder y el Elba (excepto una administración tripartita de Berlín) iba a quedar en la zona de ocupación soviética. Jodl dedujo que era poco probable que británicos y norteamericanos montaran una nueva ofensiva para capturar una zona que a continuación tendrían que entregar a los rusos. Parecía haber suficiente confirmación de esta conclusión en el hecho de que el Noveno Ejército de los Estados Unidos había alcanzado el Elba hacía 11 días, pero desde entonces no había hecho ningún esfuerzo por cruzar el río.

Si el Doceavo podía hacer algo para ayudar en Berlín o no era otro asunto. El ejército, organizado a principios de abril, había sido apresuradamente entrenado y pobremente equipado, con sólo un complemento nominal de carros blindados. Su principal valor era un personal de alto calibre y gran espíritu, incluidos muchos candidatos a oficiales, y un comandante, el teniente general Walter Wenck, cuya habilidad en el Frente del Este tres años antes lo había convertido, a los 42 años de edad, en el general más joven del ejército alemán.

En mejores tiempos, Jodl nunca hubiera tomado en consideración un ejército de tan poca confianza como el de Wenck para una misión de combate, y mucho menos para una tan crítica. Pero ahora el Doceavo representaba una esperanza, aunque sólo fuera leve. Keitel apoyó la propuesta; de hecho, estaba tan ansioso por hacer algo constructivo que insistió en llevar personalmente las nuevas órdenes a Wenck. Hitler aceptó el plan, volvió a adoptar su yo animado mientras se discutían los detalles, y añadió un guiño: reviviendo su anterior impulso de hacer dar la vuelta sobre sus pasos al Noveno Ejército y enviarlo al oeste, ordenó un ataque conjunto del Noveno y el Doceavo, con Berlín como meta, tal como Jodl había sugerido. Hitler se volvió incluso tan solícito como una *Hausfrau* acerca del viaje de Keitel. Encargó una comida de picnic –bocadillos, chocolate y brandy–, se la entregó, e insistió en que el mariscal de campo se tomara todo un tazón de sopa de guisantes caliente antes de su partida.

Era pasada la medianoche cuando Keitel localizó el puesto de mando de Wenck en el pabellón de caza de un guardabosques en el bosque Wiesenberg, a unos 100 kilómetros al suroeste de Berlín. Apenas entrar, Keitel estalló: «¡Tenemos que rescatar al Führer!». Luego delineó el plan para aliviar Berlín. Los Ejércitos Doceavo y Noveno atacarían el uno en dirección al otro, unirían sus filas al sur de Berlín, y se abrirían camino hasta la capital. En ausencia de órdenes de ningún tipo, Wenck había dado ya el primer paso del plan: tras observar la inactividad de los norteamericanos, había vuelto su ejército de espaldas al Elba para enfrentarse a los rusos que se acercaban, de hecho había derrotado ya un ataque soviético con tanques cerca de Belzig el 21 de abril. Pero Wenck consideró que entrar en Berlín era una meta demasiado ambiciosa para su ejército, y después de que Keitel se fuera para regresar a la capital, se sentó con su jefe de estado mayor, el coronel Günther Reichhelm, y trazó un plan propio.

Su ejército, decidió Wenck, debía librar una última batalla, y nada que los soldados del Doceavo pudieran hacer sería más valioso que rescatar a sus acosados camaradas del Noveno Ejército. Tan pronto como fuera posible, el Doceavo Ejército atacaría por el sureste y abriría un corredor a través de las líneas soviéticas. Los hombres de Busse podrían escapar por el corredor, alcanzar el Elba y, junto con los supervivientes del Doceavo Ejército y todos los refugiados que pudieran salvar, rendirse a las tropas norteamericanas.

Wenck y Reichhelm no se hacían ilusiones respecto al ataque: se necesitarían varios días para montarlo, porque estaban rechazando constantemente a los rusos; les costaría muchas vidas, y podía muy bien fracasar. Mientras tanto, los generales en Berlín veían el planeado asalto a través de sus gafas más rosadas. Krebs telefoneó a Heinrici y le dijo que el ataque de Wenck aliviaría muy pronto la presión soviética sobre la capital. Heinrici señaló que los dos cuerpos de Wenck estaban situados muy al oeste de la capital y no podrían cubrir la distancia de la noche a la mañana. Pero la noticia no dejaba de sonar prometedora: Heinrici incluso sintió alguna esperanza de que el plan podía funcionar.

Más tarde aquella noche, Krebs llamó de nuevo a Heinrici para empezar a coordinar el ataque de Wenck con el de Busse. Le dijo a Heinrici que Hitler, repentinamente emocionado con la perspectiva, había autorizado finalmente que Busse retirara el Noveno Ejército a una línea al norte de las inmediaciones de Cottbus, el hombro norte de la zona de penetración de Kóniev. El Führer decía también que el general Bieler podía abandonar la fortaleza de Frankfurt. Mientras se retiraba, Busse debía liberar inmediatamente una división para iniciar el ataque hacia el oeste e ir al encuentro del Doceavo Ejército.

El mariscal Kóniev, que era un comandante alerta, ya había tomado en consideración la posibilidad de que el Doceavo Ejército alemán pudiera intentar atacar a través de sus líneas hacia el Noveno Ejército. Para bloquear esta eventualidad, había situado un cuerpo en una posición fuertemente defendible en los alrededores de Baruth, en una carretera que o el Doceavo o el Noveno Ejército tendrían que tomar para alcanzarse el uno al otro. Dos de los ejércitos de Kóniev estaban sondeando hacia el oeste, hacia el Elba, en busca de las fuerzas de Wenck... o los norteamericanos. Encontraron lo que Kóniev llamó «furiosos ataques», que hacían pensar como si Wenck estuviera intentando organizar algún tipo de contraofensiva.

Por el momento, sin embargo, el Noveno Ejército alemán era una preocupación mucho más grande que el Doceavo para Kóniev. Él y Zhúkov habían recibido órdenes de Moscú de completar el cerco alrededor del Noveno Ejército el 24 de abril como máximo, y seis ejércitos soviéticos –tres de cada mando del mariscal– estaban cerrándose sobre los hombres de Busse desde todas direcciones. Una vez el Noveno estuviera aislado de Berlín y obligado a luchar sin aprovisionamientos ni refuerzos, pronto se hundiría, de eso estaban seguros los dos mariscales.

Hitler hizo el trabajo un poco más fácil para los rusos. La tarde del 23 de abril ordenó al 56º Cuerpo Panzer, que esta-

ba protegiendo el flanco norte de Busse, que retrocediera a Berlín y defendiera los accesos oriental y suroriental de la ciudad.

El Noveno Ejército se vio finalmente aislado el 24 de abril por la primera de varias conexiones estratégicas. A las 6:00 a.m., los hombres del Octavo Ejército de Defensa de Chuikov, que avanzaba hacia Berlín desde el este, se encontraron con una unidad que avanzaban hacia el norte del Tercer Ejército Acorazado de Defensa cerca del aeropuerto de Schöenfeld, en el borde suroriental de la capital. Chuikov informó de la conexión con el Grupo de Ejército de Kóniev al cuartel general de Zhúkov, y rápidamente recibió una desconcertante llamada de respuesta de Zhúkov en persona. El mariscal quería saber –insistió en que Chuikov despachara investigadores responsables para averiguarlo– la identidad exacta de la unidad de Kóniev con la que sus hombres habían entrado en contacto y la hora exacta en que había penetrado en los límites más exteriores de la ciudad de Berlín. Chuikov supuso que Zhúkov estaba preparándose para refutar cualquier reclamación de Kóniev de que el Primer Grupo Ucraniano había derrotado al Primer Grupo Bielorruso en entrar en la capital.

Los ocho ejércitos soviéticos estaban convergiendo ahora sobre Berlín, entrando en la capital por varios puntos a lo largo de los 90 kilómetros de límites de la ciudad. Ahora todo era un brutal avanzar paso a paso; los fáciles avances de los pasados días habían terminado. «Cuanto más cerca de Berlín –escribió Kóniev–, más densas se volvían las defensas del enemigo, y la infantería enemiga era apoyada por más y más artillería, tanques y *Panzerfäuste*.» En medio de toda aquella violencia, los civiles se apiñaban en sótanos y refugios, intentando salirse con bien lo mejor posible..., no siempre con éxito.

Kóniev, que avanzaba hacia Berlín en un amplio frente desde el sur, tenía un problema especial: el canal Teltow, que cortaba a través el lado sur de la ciudad. Aproximadamente de 50 metros de ancho y casi 3 metros de profundidad, con sus puentes volados o fuertemente minados, sus altas paredes salpicadas con nidos de ametralladoras y alineadas con recias casas de piedra, constituía una formidable línea de defensa. Un tramo de 12 kilómetros estaba defendido por 15.000 soldados alemanes, 250 cañones y morteros, 130 tanques y otros vehículos blindados, más de 500 ametralladoras y muchos *Panzerfäuste*. Los hombres de Kóniev no podían evitar el tener que cruzar el canal, pero una vez lo hubieran conseguido sólo encontrarían otra línea coordinada de defensa..., alrededor del centro de la ciudad.

El general Ribalko era el comandante de campo a cargo del asalto al canal. Pasó todo el 23 de abril preparándose, trayendo casi 3.000 piezas de artillería, morteros pesados y cañones autopropulsados, y concentrándolos sobre su principal área de penetración, un sector de menos de cinco kilómetros de ancho. Los cañones totalizaban más de 600 por kilómetro.

La artillería de Ribalko abrió fuego a las 6:20 a.m. del 24 de abril, y los grupos de asalto empezaron a cruzar pronto el canal en botes hinchables. Algunos grupos fueron barridos u obligados a retroceder por los contraataques alemanes, pero a la 1:00 p.m. los ingenieros soviéticos habían completado el primer puente de pontones y los tanques lo estaban cruzando con gran estruendo. La batalla estuvo ganada allí y entonces, aunque la lucha siguiera toda la noche y continuara aún durante días en algunos lugares.

A la derecha de Ribalko, la mayor parte del Octavo Ejército de Defensa acudió desde el este sin tener que cruzar el canal Teltow. En las inmediaciones del aeropuerto de Tempelhof, los hombres de Chuikov se lanzaron contra un enemigo que había estado luchando contra ellos más o menos continuadamente desde su penetración más allá de Seelow siete días antes: la División Panzer Müncheberg. Esta unidad, que comprendía hombres y vehículos del centro de entrenamiento de carros de combate de Müncheberg, era una de las unidades apresuradamente reunidas de cualquier manera que ahora prevalecían en la Wehrmacht; nunca se le proporcionó un número de identificación preciso, y mucho menos un complemento adecuado de hombres y equipo. Los Müncheberg habían sido golpeados una y otra y otra vez, pero mantuvieron su terreno el 24 de abril. Uno de sus oficiales escribió en su diario del día:

«La artillería rusa está disparando sin descanso. Los rusos queman su camino al interior de las casas con lanzallamas. Los gritos de las mujeres y los niños son horribles. Son las tres de la tarde y apenas tenemos una docena de tanques y unos 30 transportes de personal blindados. Recibimos constantemente órdenes de la Cancillería de enviar tanques a algún otro punto en peligro de la ciudad, y nunca regresan.»

Las defensas alemanas en la zona se derrumbaron a medida que avanzaba la tarde. Las intermitentes anotaciones en el diario del oficial continúan: «Nuestra artillería se retira a nuevas posiciones. Tienen muy poca munición. Los aullidos y las explosiones de los Órganos de Stalin, los gritos de los heridos, el rugir de los motores y el tableteo de las ametralladoras. Mujeres muertas en las calles, caídas mientras intentaban conseguir agua. 8 de la tarde: tanques rusos cargados con infantería avanzan contra el aeropuerto. La lucha es intensa.»

En el lado norte de Berlín, tres de los ejércitos de Zhúkov estaban penetrando en la ciudad. A la vanguardia del Tercer

Mujeres rusas, aferrando sus pertenencias, son liberadas de un campo de trabajos forzados cerca de Berlín por las tropas soviéticas a finales de abril de 1945. Más de la mitad de los tres millones de trabajadores esclavos importados de Rusia por el Reich eran mujeres, destinadas a trabajos en el campo y las fábricas y como sirvientas, bajo órdenes de Hitler de «aliviar al ama de casa alemana».

Ejército de Asalto, el capitán Neustroyev y su batallón se vieron frenados por la fuerte lucha en el distrito Moabit, y parecía poco probable que fueran los primeros en plantar la bandera soviética en el Reichstag. Pero acababan de recibir una ayuda de Moscú. Stalin había trazado de nuevo el límite entre el Primer Grupo Bielorruso y el Primer Grupo Ucraniano con su habitual favoritismo hacia Zhúkov, situando el centro de la ciudad –con el Reichstag, el *Führerbunker* y los edificios del gobierno– en el lado de Zhúkov de la línea junto con los distritos norte.

El norte de Berlín era también el blanco de los únicos dos auténticos contraataques que los alemanes fueron capaces de montar hasta que Wenck y Busse estuvieran preparados para iniciar su asalto en el sur. Pero las ofensivas en el norte eran efectuadas por unidades del Tercer Ejército Panzer, que el 24 de abril estaba todavía conteniendo el Segundo Grupo Bielorruso, conducido por Rokossovski, en sus cabezas de puente en el Oder.

El comandante de ambos ataques era el hostigado Steiner. Cuando Steiner se quejó de que carecía de hombres suficientes para el trabajo, fue reforzado con otro amplio contingente de juventudes hitlerianas. Pero Steiner envió a los muchachos a sus casas, diciendo: «Aceptarlos hubiera sido irresponsable». El fracaso de Steiner en atacar pese a las muy urgentes exhortaciones impulsó a Hitler a anunciar, el 23 de abril, que no quería que el hombre volviera a mandar ninguna tropa, nunca más, bajo ninguna circunstancia.

Steiner fue despojado de su mando y reemplazado por el teniente general Rudolph Holste, comandante del 12º Cuerpo del ejército de Wenck. Pero Holste deseaba quedarse con su propia unidad, así que él y Steiner acordaron ignorar el cambio de mando ordenado.

Steiner atacó realmente a última hora del 23 de abril, con la intención de enlazar con el 56º Cuerpo Panzer. Más aún, sus hombres consiguieron ganar algo de terreno en el sur más allá de Eberswalde. Pero justo en aquel momento el 56º Cuerpo Panzer se vio obligado a retroceder al interior de Berlín. El grupo de Steiner fue dejado colgando en medio de la nada. Heinrici suspendió el ataque y pidió a Steiner que lo intentara de nuevo 40 kilómetros más al oeste, con el objetivo de recapturar la ciudad de Oranienburg.

Steiner se dirigió hacia el oeste, atacó de nuevo el 25 de abril, y de nuevo consiguió ganar algo. Esta vez, Keitel y Jodl, en el cuartel general de Hitler, detuvieron el ataque para impedir que Steiner quedara atrapado. Hitler supo inevitablemente que el en sus tiempos adorado y ahora despreciado Felix Steiner había sido dejado al mando: el capitán Gerhardt Boldt, el ayuda de campo de Kreb, que ahora había sido asignado al personal del *Führerbunker*, informó de que Hitler no perdió la compostura, como todo el mundo esperaba. En vez de ello, observó cansadamente: «Se lo dije; bajo el mando de Steiner, todo el ataque estaba condenado a convertirse en nada».

Mientras empezaba a desarrollarse la batalla por Berlín, el control de los accesos occidentales de la ciudad quedaba en la duda. Las puntas de lanza más septentrionales del avance hacia el oeste de Zhúkov, el Segundo Ejército Acorazado de Defensa y el Cuarenta y siete Ejército habían girado hacia el sur desde Oranienburg ya el 21 de abril, y desde entonces habían estado avanzando hacia el sur a través de los suburbios occidentales de Berlín en busca de una reunión con el Cuarto Ejército Acorazado de Defensa. Pero la conexión, que tenía que sellar todo Berlín dentro de una gigantesca trampa soviética, se vio valientemente obstaculizada por una fuerza que consistía principalmente en juventudes hitlerianas quinceañeras, mezcladas con algunas tropas de viejos *Volkssturm*. Estas heterogéneas unidades habían sido lanzadas al sector de Spandau del oeste de Berlín y habían defendido los puentes sobre el río Havel durante dos días contra las mejores fuerzas soviéticas, manteniendo abierta una última ruta de escape hacia el noroeste y la posibilidad de contacto con los aliados occidentales.

El 22 de abril, los vehículos blindados de Kóniev que avanzaban hacia el norte se estaban abriendo camino en Potsdam, a 40 kilómetros de distancia de la punta de lanza de Zhúkov que se dirigía hacia el sur. El 23 de abril, la distancia se vio acortada a 25 kilómetros. A la caída de la noche del 24 hubo rumores sin confirmar de un contacto; quizá unas patrullas se encontraron brevemente. Al final, a mediodía del 25 de abril, los primeros tanques del VI Cuerpo Mecanizado de Defensa de Kóniev se encontraron en Ketzin, en el canal Mittelland, con las unidades blindadas de la 328ª División del Cuarenta y siete Ejército de Zhúkov. Al mismo tiempo Kóniev cerró un anillo más pequeño de acero soviético alrededor de Potsdam.

Por aquel entonces, el último y más celebrado enlace –entre rusos y norteamericanos– había tenido lugar hacía dos días. Tres cuerpos soviéticos de dos de los ejércitos de Kóniev habían alcanzado el Elba el 23 de abril. Estaban sondeando tentativamente en busca de las tropas norteamericanas y enviando mensajes por radio, que los operadores norteamericanos contestaron con prontitud, solicitando información específica. Pero los rusos no revelaron la posición de sus unidades porque los alemanes estaban escuchando y efectuando ocasionales interrupciones sarcásticas, como: «Americanos, dejad de preocuparos, os encontraréis con los rufianes de vuestros amigos rusos».

La mecánica del enlace soviético-norteamericano –previsto para que tuviera lugar en la línea Elbe-Mulde– había preocupado desde hacía tiempo a ambos mandos. Los norteamericanos consideraban que la zona entre los ríos Elba y Mulde ofrecía posibilidades particularmente peligrosas de choques accidentales entre tropas soviéticas y norteamericanas; como medida de seguridad extra, el Primer Ejército de los Estados Unidos prohibió a sus patrullas avanzar más de ocho kilómetros al este del Mulde.

Pero a primeros del 25 de abril, la impaciencia le ganó al teniente Albert Kotzebue, de la 69ª División, parte del Primer Ejército de los Estados Unidos. Decidido a establecer contacto por sí mismo, Kotzebue tomó una amplia patrulla en jeeps y la llevó mucho más allá del límite de los ocho kilómetros, tropezó con un solitario jinete soviético en un pequeño pueblo, y siguió sus elocuentes señales con la mano hasta la ciudad de Strehla, junto al Elba. Allá, a la 1:30 p.m., los norteamericanos se reunieron con un grupo de soldados soviéticos al mando del teniente coronel Alexander Gardiev del 175º Regimiento de Fusileros del Quinto Ejército de Defensa. Fue un encuentro contenido, y fue terminado bruscamente por un oficial de relaciones públicas soviético que esperaba la llegada de algunos oficiales de muy alta graduación y deseaba retrasar la celebración hasta que éstos llegaran allí.

Kotzebue radió la noticia del encuentro a su comandante del regimiento, que recibió la noticia a las 3:30 p.m. Desgraciadamente Kotzebue envió mal las coordenadas del mapa, y un pequeño avión enviado por el comandante de la división a investigar el lugar no fue bien recibido..., de hecho fue ahuyentado por el fuego antiaéreo soviético. El cuartel general de los Estados Unidos sabía muy poco acerca de la reunión, pero sabían que Kotzebue había desobedecido las órdenes y había ido mucho más allá del límite de los ocho kilómetros, por lo que sus superiores no se dieron mucha prisa en concederle el mérito del contacto. Aguardaron a tener más información, y por aquel entonces ya era demasiado tarde para Kotzebue.

Los honores oficiales recayeron en el segundo teniente William D. Robertson, un oficial de inteligencia de la misma 69ª División, que ni siquiera estaba buscando a los rusos. Con una patrulla de tres hombres, Robertson partió el 25 de abril hacia la ciudad de Wurzen en un camión en busca de prisioneros de guerra aliados. A medio camino entre el Mulde y el Elba, el pequeño grupo tropezó con algunos prisioneros de guerra británicos liberados que dijeron que había montones de prisioneros norteamericanos y rusos en un campo cerca de Torgau, en el Elba.

Robertson y sus hombres alcanzaron Torgau a media tarde y hallaron a dos norteamericanos; ambos habían sido liberados del campo por los alemanes, que estaban ansiosos por rendirse. Luego los norteamericanos oyeron el fuego de armas portátiles al otro lado del Elba, presumiblemente de tropas soviéticas en lucha con grupos alemanes.

Para alertar a los rusos de su presencia –e identificarse ellos mismos–, los reclutas se detuvieron en una droguería, tomaron tintas de colores, improvisaron una bandera norteamericana y corrieron hacia la pequeña torre de un castillo a la orilla del río. Los rusos no prestaron atención a la bandera e incluso dispararon contra Robertson. Luego éste recordó que podía haber rusos allá en el campo de prisioneros. Envió a un hombre a buscar a alguien que pudiera comunicarse con los aliados de gatillo fácil al otro lado del río; cuando llegó un recluta ruso, les gritó la situación a sus compatriotas, que dejaron de disparar y empezaron a cruzar el río por entre las retorcidas vigas de un semidestruido puente de la carretera.

Robertson empezó a arrastrarse por el puente y, a medio camino, se encontró cara a cara con el ruso que iba en cabeza. Se sonrieron y se dieron palmadas con una alegría que no necesitaba palabras.

Más tarde aquella noche, mientras el encuentro soviético-norteamericano era celebrado por todo el mundo aliado, un oficial alemán captó la noticia en una emisora de radio neutral y la llevó a Hitler y a sus generales ayudantes. El oficial dijo que el informe de la radio había mencionado también una disputa entre los comandantes locales soviético y norteamericano sobre los sectores del área de Torgau que se suponía que debía ocupar cada uno según los acuerdos aliados.

El Führer acababa de saber que los ejércitos de Rokossovski acababan de iniciar su avance desde sus cabezas de puente en el Oder en dirección al oeste, que Wenck estaba iniciando al final su contraataque pero sin llegar a ninguna parte, que el ejército de Busse atacaba también pero se estaba debilitando rápidamente, y que Berlín estaba rodeada. Sin embargo, como el capitán Bolt recordó más tarde la escena, la simple mención de un desacuerdo entre los aliados electrificó a Hitler. Se echó hacia atrás en su silla con los ojos brillantes y dijo con aire triunfal: «Caballeros, aquí tenemos de nuevo una notable evidencia de la desunión de nuestros enemigos. ¿No me etiquetarían el pueblo alemán y la posteridad como un traidor si hoy firmara la paz, cuando todavía hay posibilidades de que nuestros enemigos caigan mañana? ¿No es posible que en un solo día, incluso en cualquier hora, estalle la guerra entre los bolcheviques y los anglosajones sobre Alemania, su presa?».

ENCUENTRO EN EL ELBA

Los rusos, incluidas mujeres con ramos de flores, saludan a los soldados norteamericanos junto al río Elba a unos 120 kilómetros al sur de Berlín, cuando los dos ejércitos se encontraron el 25 de abril de 1945.

UN TRASCENDENTAL ENCUENTRO DE DOS GRANDES EJÉRCITOS

En un intento de coordinar una reunión entre los aliados, un jeep del ejército de los Estados Unidos de patrulla en Alemania utiliza un intérprete (primer plano) para contactar con los rusos por radio.

En la última semana de abril de 1945, los aliados aguardaban expectantes un histórico encuentro entre sus ejércitos, una reunión que en casa sería sinónimo de victoria final. Sin embargo, los comandantes aliados occidentales, en buena parte ignorantes de la disposición y fuerzas soviéticas, temían un inadvertido choque cuando los dos grandes grupos se encontraran. En 1939, durante la gran marcha de la Wehrmacht a través de Polonia y la invasión rusa simultánea de ese país, las tropas alemanas que avanzaban hacia el este colisionaron con unidades soviéticas que avanzaban hacia el oeste: ambos lados sufrieron bajas en el conflicto resultante.

Seis años más tarde, los norteamericanos de la 69ª División, parte del Primer Ejército de los Estados Unidos, ocuparon posiciones a lo largo del río Mulde a unos 110 kilómetros al suroeste de Berlín. Parecían ser quienes tenían más probabilidades de contactar con los rusos. En un esfuerzo por mantener un estricto control, el general de división Emil F. Reinhardt, comandante de la 69ª, ordenó a sus patrullas que no se aventuraran a más allá de ocho kilómetros del Mulde.

El incidente que todo el mundo temía se produjo pese a la orden. El encuentro entre norteamericanos y rusos tuvo lugar en parte porque dos jóvenes oficiales de la 69ª División de los Estados Unidos permitieron que sus patrullas fueran 30 kilómetros más al este de lo que habían sido autorizadas a ir, de hecho los comandantes de las patrullas se aventuraron todo el camino hasta el Elba. Cuando las unidades empezaron a encontrar fuerzas soviéticas, se produjeron algunos intercambios de disparos; cuando uno de los jefes de la patrulla alzó una improvisada bandera norteamericana para identificarse como un aliado, atrajo el fuego de una cautelosa unidad soviética.

Nadie resultó herido en la escaramuza, y una vez quedó establecido el hecho del contacto, ambos ejércitos convirtieron la ocasión en algo memorable. Los hombres la celebraron con intercambio de comida –raciones enlatadas norteamericanas por pan negro ruso y cebollas– y con brindis tras brindis de una al parecer inagotable reserva de vodka ruso. En medio de todo aquel jaleo fraternal, el estropajoso brindis de un teniente soviético resumió la emoción de ambos bandos: «Debéis perdonarme, no hablo bien el inglés, pero somos muy felices, así que hagamos un brindis. Querida, estáte quieta, por favor. Hoy es el día más feliz de nuestra vida. Larga vida a nuestros dos grandes ejércitos.»

Los líderes de las dos divisiones aliadas que primero entraron en contacto en el Elba, el general Emil Reinhardt y el general Vladimir Rusakov, abren la marcha hacia una improvisada celebración.

Un soldado ruso ofrece un cigarro a un infante de los Estados Unidos. Obtuvo a cambio un cigarrillo norteamericano..., un simbólico intercambio fotografiado a todo lo largo del Elba.

EL EXUBERANTE ENCUENTRO DE IVÁN Y JOE

Las tropas soviéticas y norteamericanas a lo largo del Elba se echaron en brazos unas de otras como camaradas de armas que no se han visto desde hace mucho tiempo. Con los rusos gritando «*tovarich*» («camarada») y «*Amerikanets*», y los norteamericanos cantando «Los bateleros del Volga» (la única canción rusa que conocían), los victoriosos luchadores se abrazaron y saludaron, intercambiaron pequeños presentes..., y se evaluaron mutuamente.

Los norteamericanos hallaron el estilo militar ruso sorprendente. Por ejemplo, muchos soldados del Ejército Rojo no llevaban casco en combate, pero luchaban luciendo todas sus medallas. La artillería y los carros de provisiones soviéticos tirados por caballos contrastaban como anticuados ante los pesadamente motorizados norteamericanos. Pero la calidad de las pequeñas armas automáticas rusas era impresionante. Durante todo el primer día de su encuentro, los soldados soviéticos y de los Estados Unidos intercambiaron medallas por insignias, tomaron cientos de fotografías posando juntos, y pasaron horas alardeando de cuáles armas eran las mejores.

Un norteamericano (izquierda) recibe el tradicional saludo ruso: un abrazo de oso capaz de hacer crujir los huesos.

Un soldado norteamericano examina una ametralladora soviética mientras otro desmonta su pistola para un ruso lleno de curiosidad.

Apuntando con su carabina calibre 30, un soldado norteamericano con casco se prepara para demostrar su puntería sobre un blanco que le indica un soldado del Ejército Rojo.

En una fiesta que conmemora el encuentro de las fuerzas soviéticas y norteamericanas, un joven oficial del Ejército Rojo (derecha, centro) ofrece un discurso de solidaridad entre los aliados.

Los concelebrantes soviéticos y norteamericanos alzan sus copas en un brindis con vino alemán capturado.

SINCEROS BRINDIS DE SOLIDARIDAD

En los primeros días después del encuentro ruso-norteamericano, ambos lados del río Elba entraron en erupción en innumerables celebraciones. En la orilla este, cada oficial soviético festejaba a su contrapartida del ejército de los Estados Unidos, desde los comandantes de regimiento hasta la cúspide. En la orilla oeste, los comandantes norteamericanos devolvían la hospitalidad rusa con espléndidas cenas.

Las fiestas improvisadas marcaron las celebraciones en los rangos inferiores. Los rusos amontonaban sobre las mesas jamón, queso y salchichas. Botellas de vino alemán y brandy se codeaban con el vodka. Los norteamericanos trajeron consigo huevos, chocolate y raciones de combate que –para su regocijo– encantaron a los soviéticos. El aire resonaba con los brindis: a Roosevelt, a Truman, a Stalin y a Churchill. Para los norteamericanos, una deliciosa sorpresa fueron las mujeres soldados rusas, que se convirtieron en sus primeras parejas de baile desde hacía meses.

Las desacostumbradas celebraciones hicieron que muchos invitados cayeran dormidos sobre la hierba. Otros siguieron festejando entusiásticamente: los americanos corrieron más de una vez en busca de refugio mientras los rusos, como cowboys en una noche de sábado, disparaban alegremente sus armas al aire.

Las mujeres del Ejército Rojo, cuya presencia en el frente sorprendió a los norteamericanos, sirven un buffet en una mesa.

Oficiales norteamericanos y rusos bailan con las mujeres del Ejército Rojo ante las fotografías de Stalin y Roosevelt y una pancarta que saluda al Primer Ejército de los Estados Unidos.

Cogidos del brazo, soldados norteamericanos y soviéticos avanzan por una calle alemana, simbolizando la unión de los aliados que llevaban luchando casi cuatro

años en frentes separados.

3

Una serie de pequeñas y feroces escaramuzas
En busca de un «reducto nacional»
Impasse pasado por agua en Holanda
Montgomery se muestra «un poco irritado»
Un refugio en Hamburgo para defectores nazis
Patton: un general necesitado de una pelea
El «deber de ser temerario» de un francés
Lucha habitación por habitación en una academia de las SS
Un fin ignominioso para Mussolini
Alto el fuego en Italia

MARCANDO EL PASO EN EL OESTE

Mientras los rusos cerraban el cerco sobre Berlín durante la segunda mitad de abril de 1945, los aliados occidentales seguían una estrategia de inmovilidad. Desde que cruzaron el Rin el 22 de marzo, los ejércitos anglo-norteamericanos bajo el mando del general Eisenhower habían cortado Alemania en dos y alcanzado el río Elba. Eisenhower –ya no interesado en Berlín como objetivo y forzado por los acuerdos internacionales que establecían zonas de ocupación de posguerra– propuso detenerse allí y, como lo resumió para el combinado de jefes de estado mayor, «limpiar mis flancos».

De hecho, el aplastante avance a través de la sección media de Alemania había dejado a los aliados occidentales poca otra cosa que hacer. Los dos ejércitos norteamericanos que habían efectuado el avance, el Primero y el Noveno, se habían dispersado rápidamente a lo largo del Elba y el Mulde, formando una línea que serpenteaba unos 300 kilómetros desde el sur de Wittenberge hasta las inmediaciones de Chemnitz. El 19 de abril el Primero y el Noveno habían capturado respectivamente Leipzig y Magdeburgo. Su sector del frente era ahora tan seguro que podían dedicar varias divisiones a ayudar a los más ocupados mandos aliados en el norte y el sur. Ahora el peso recaía sobre el Vigesimoprimer Grupo de Ejército británico-canadiense en el norte de Alemania y Holanda, el Tercer Ejército de los Estados Unidos y el Sexto Grupo de Ejército franco-norteamericano en el sur de Alemania, y el Quinto Grupo de Ejército anglo-norteamericano en el norte de Italia.

En todas partes en el oeste, la guerra abierta persistía sólo esporádicamente. Los alemanes, con su país partido en dos y sus unidades reducidas por el desgaste a meros esqueletos, ya no eran capaces de mantener una defensa coordinada, un hecho que el propio Hitler reconoció dividiendo el escindido Frente del Oeste alemán en dos mandos independientes, norte y sur. En la línea de fuego, la defensa típica alemana era local y espontánea, pequeñas y feroces escaramuzas en una barricada en medio de la carretera o en el cruce de un río seguidas por una retirada. El mariscal de campo Albert Kesselring, hasta hacía poco comandante en jefe del Frente del Oeste alemán y ahora jefe del nuevo mando meridional, escribió más tarde con pesaroso orgullo que sus tropas «avanzaban, se retiraban, luchaban, eran rebasadas, flanqueadas, golpeadas y agotadas, sólo para reagruparse, luchar y avanzar de nuevo». Era, dijo Kesselring, «un inmenso esfuerzo de resistencia, pese a todas sus limitaciones, fuera de todo proporción respecto a lo que podían hacer o conseguir».

La evidente debilidad de los alemanes se veía acentuada por la insurgencia antinazi que empezaba a emerger entre segmentos de la población civil. Sin embargo los aliados eran cautelosos, y no sin razón. Británicos y norteamericanos, recelosos de incurrir en fuertes pérdidas con el final de la guerra a la vista, se mostraban comprensiblemente reacios a enzarzarse en batallas que podían resultar carentes de sentido. Más aún, los norteamericanos habían averiguado recientemente que los alemanes todavía eran capaces de una fuerte resistencia: una amplia parte del Séptimo Ejército de los Estados Unidos se había visto obligada a luchar duramente durante cuatro días para capturar Nuremberg, que finalmente cayó el 20 de abril. Los aliados se veían perseguidos también por el recuerdo de la inesperada ofensiva de Hitler de 1944 en las Ardenas, y estaban decididos a evitar otra costosa y embarazosa sorpresa.

Buscaban la existencia de una trampa en el llamado reducto nacional, que se decía que era una zona fortificada situada en las montañas del sureste de Alemania o el oeste de Austria. Allen Dulles y sus colegas de la OSS en Suiza habían sugerido que la finca alpina de Hitler en Berchtesgaden, en el Obersalzberg, podía constituir un puesto de mando conveniente para una defensa de último recurso de la zona circundante, y podía ser el cuartel general de un último reducto. Era en parte para impedir una afluencia alemana a la zona que Dulles siguió insistiendo en una rendición general del norte de Italia. Los expertos del Comité Conjunto de Inteligencia complicaron aún más la alarma estimando que 100 divisiones alemanas completas estaban desplegadas en un radio de fácil alcance de la zona, un cálculo que en realidad estaba enormemente exagerado.

Los alemanes eran conscientes de las sospechas de los norteamericanos y hacían todo lo posible por confirmarlas. Difundieron historias de movimientos militares y aportes de suministros a la zona, y enviaron allí ingenieros para hacer estallar cargas de dinamita como si estuvieran construyendo enormes fortificaciones y fábricas subterráneas. Los analistas de la inteligencia de Eisenhower llegaron a la conclusión de que las instalaciones de que eran informados podían sostener a 20 divisiones de las SS durante un año, y su opinión hizo eco en el general Omar Bradley del Decimosegundo Grupo de Ejército de los Estados Unidos. El 24 de abril, Bradley informó a un grupo de congresistas que efectuaban una visita de inspección a las zonas de guerra: «Puede que estemos luchando dentro de un mes, o puede que dentro de un año».

No había ningún reducto, o al menos eso decían el sentido común y el general George Patton, del Tercer Ejército. Y sin embargo, a medida que avanzaban, los aliados descubrían cosas más extrañas que una zona fortificada. Lingotes por valor de millones de dólares aparecieron en una mina de sal en Merkers, la reserva de oro del Tercer Reich. En el mismo lugar se encontraron obras de arte requisadas de toda la Europa ocupada por los nazis. Las tropas que avanzaban hacia el este tropezaron con los espeluznantes mataderos llamados Dachau y Buchenwald. Y cada vez había más evidencias de que Alemania se estaba haciendo pedazos mientras su autoridad central se marchitaba en Berlín: levantamientos dispersos contra la autoridad nazi, altos oficiales intentando hacer tratos que podían calificarse como alta traición, cansados funcionarios civiles buscando poner fin al derramamiento de sangre. En aquel extraño ocaso de la guerra cualquier cosa era posible, y lo inesperado acechaba a menudo justo al otro lado del siguiente recodo de la carretera.

En el flanco septentrional de los aliados, el mariscal de campo sir Bernard Montgomery estaba llevando a cabo los últimos planes de Eisenhower para su Vigesimoprimer Grupo de Ejército. Montgomery tenía tres misiones principales: eliminar a los alemanes de los Países Bajos, capturar un puerto de primera clase como Bremen o Hamburgo en el norte de Alemania para las operaciones contra las formaciones alemanas aún en Dinamarca y Noruega, y enviar una fuerte fuerza británica a través del cuello de la península de Jutlandia en Schleswig-Holstein para ocupar Lübeck y Wismar. El avance en Jutlandia fue una maniobra patentemente política destinada a bloquear el avance por tierra de los rusos hasta Dinamarca y mantenerlos embotellados en el Báltico. Los rusos estaban decididos a asegurar Lübeck y Wismar, y se estableció una carrera no declarada para ver quién podía llegar allí primero.

Aunque se trataba de unos objetivos razonables, Montgomery pareció perder su empuje habitual hacia la batalla cuando el sorprendente cambio de estrategia de Eisenhower a finales de marzo canceló su marcha hacia Berlín. Montgomery, un severo e inflexible autócrata al que Churchill había llamado apropiadamente «esa figura cromwelliana», se mostró inquieto y descontento.

En Holanda, como Montgomery había averiguado hacía tiempo, era extremadamente difícil hallar una solución militar concluyente: el agua se interponía siempre en el camino. El 18 de abril, el Primer Ejército canadiense había avanzado hacia el norte de Emmerich y Nijmegen hasta el Zuider Zee. El 20 de abril alcanzó el Mar el Norte, dividiendo en dos el mando alemán de los Países Bajos del general Johannes Blaskowitz y atrapando a los alemanes contra el mar cerca de Amsterdam. Mientras el II Cuerpo canadiense se abría camino luchando hacia el este por hinchados arroyos y a través de restos de resistencia alemana, el I Cuerpo canadiense giró hacia el oeste para atacar al enemigo atrapado y traer comida a la población holandesa, que se estaba muriendo de hambre detrás de sus líneas. Pero Montgomery temía la amenaza alemana de abrir los diques e inundar Holanda si su llamada Línea Grebbe cerca de Amsterdam era atacada; ordenó a los canadienses que se detuvieran en Amersfoort.

Aproximadamente por este tiempo, los canadienses recibieron la noticia de que el doctor Arthur Seyss-Inquart, el Comisario del Reich en Holanda y un hombre que no se había distinguido anteriormente por sus instintos humanitarios (había instituido un régimen de terror en la Polonia ocupada en 1940) estaba dispuesto a discutir un trato. Ahorraría más sufrimientos a Holanda (y salvaría las atrapadas tropas alemanas) a cambio de un alto el fuego en los Países Bajos. El mensaje fue transmitido a Montgomery, a Londres, y luego a Washington. La Junta de Jefes de Estado Mayor de los Estados Unidos creía que era poco probable que los alemanes cumplieran con su amenaza de abrir los diques. Recordaron a los británicos la lección aprendida de las conversaciones de Dulles acerca de la rendición en Italia, que los rusos tendían a responder furiosamente a menos que las conversaciones con los alemanes trataran únicamente de la rendición incondicional y a menos que los oficiales soviéticos estuvieran presentes para controlar las negociaciones. Se solicitó la opinión de Eisenhower; éste sugirió negociar con Seyss-Inquart con la asistencia de un observador soviético. Si esto fracasaba, siempre habría tiempo de enviar a los canadienses a liberar Holanda.

El 28 de abril se declaró una tregua no oficial en la ciudad de Achtervel el tiempo suficiente para que algunos oficiales británicos y alemanes dispusieran una reunión considerablemente amplia. Las discusiones a plena escala se iniciaron dos días más tarde en el edificio de una escuela en las afueras de la ciudad. Entre los presentes los más destacados eran Seyss-Inquart y su estado mayor; el jefe de estado mayor de Eisenhower; el general Walter Bedell Smith y el jefe de la inteligencia, el general de división Kenneth Strong; el jefe de estado mayor de Montgomery, el general Francis de Guingand, y un ayudante; el príncipe Bernhard, comandante en jefe de las fuerzas holandesas que luchaban con los aliados; y un delegado soviético convenientemente invitado, el general de división Iván Suspolarov, el oficial jefe de enlace ruso con el cuartel general de Eisenhower,

El general Smith planteó el caso a Seyss-Inquart en términos claros: o entregarse o sufrir las consecuencias, que podían implicar, dada la perspectiva de pérdidas innecesarias de vidas civiles, un juicio por asesinato. El alemán rechazó de plano rendirse, y las negociaciones parecieron llegar a un punto muerto. Entonces los aliados decidieron hacer un movimiento fuera del proceso de la negociación. Mientras seguían las conversaciones, el Comando de Bombardeo de la RAF y la Octava Fuerza Aérea de los Estados Unidos dejaron caer 510 toneladas de alimentos y medicinas sobre los sufrientes holandeses; a partir de entonces 1.000 toneladas de provisiones fueron entregadas cada día en camiones sin ninguna objeción alemana. Las hostilidades no volvieron a reanudarse nunca en la parte occidental de Holanda.

Mientras tanto el Segundo Ejército británico de Montgomery, que hacía avanzar tres cuerpos en línea hacia el Elba, estaba teniendo sus propios problemas. La ruta británica a la cuenca del Elba estaba cortada por cursos de agua y pantanos; los ingenieros del Segundo Ejército tuvieron que construir numerosos puentes a lo largo del camino, lo cual retrasó seriamente el transporte de los suministros. Eisenhower estaba tan preocupado por la posibilidad de que los rusos pudieran ganar al Segundo Ejército en la carrera a Jutlandia que ofreció repetidamente a Montgomery transporte o cualquier otra ayuda norteamericana que creyera necesaria.

Montgomery declinó la oferta, pero tendría que manejar bien sus fuerzas para alcanzar el objetivo a tiempo. El 20 de abril el XXX Cuerpo, en el flanco izquierdo del Segundo Ejército, que no estaba incluido en el urgente avance hacia la península de Jutlandia, llegó al castigado puerto de Bremen. El comandante del cuerpo, el teniente general Brian G. Horrocks, no se sentía muy impulsado a lanzarse a un costoso asalto. Horrocks entregó a las autoridades de la ciudad un ultimátum: rendirse en el término de 24 horas o ser bombardeados hasta ser reducidos a polvo. Luego aguardó dos días sin recibir una respuesta satisfactoria.

Dentro de Bremen se habían iniciado las disputas, El comandante de la ciudad, el general de división Fritz Becker, tenía a su disposición un ejército heterogéneo de 6.000 hombres del ejército de tierra, la marina y la guardia interior, y tenía intención de luchar. Sin embargo, el concejo de la ciudad no deseaba tomar parte en la batalla. Los concejales –la mayor parte industriales y magnates navieros– argumentaban que la guerra estaba a punto de terminar no importa lo que ellos hicieran allí, y que ya era hora de empezar a reconstruir en vez de destruir lo poco que los bombarderos aliados habían dejado incólume. Becker se negó a cambiar de opinión; entonces el consejo apeló al Gauleiter Paul Wegener, el oficial nazi al control nominal de la zona de Bremen. Wegener se negó a considerar la posibilidad de una negociación. Animó a una resistencia hasta el último hombre..., luego se marchó furtivamente de la ciudad.

El 22 de abril, Horrocks llamó finalmente a los bombarde-

El alcalde de Leipzig, Alfred Freyberg, y su esposa y hermana, yacen muertos en su oficina tras haber tomado veneno cuando las tropas de los Estados Unidos entraron en la ciudad. La mayor parte de los oficiales alemanes, sin embargo, ignoraron las advertencias de brutalidad aliada difundidas por su desmoronante gobierno y corrieron el riesgo con sus conquistadores.

ros de la RAF y puso a los artilleros de su XXX Cuerpo manos a la obra. Tras más de 48 retumbantes horas –y aún sin rendición–, envió cautelosamente sus tropas a la batalla. La 3ª División atacó la parte de Bremen que se extiende en la orilla occidental del río Weser, y las 43ª y 52ª Divisiones, que habían cruzado el río corriente arriba, lanzaron un gancho de derecha a la parte oriental de Bremen desde el sur. El 24 de abril los atacantes se abrieron camino al interior de la ciudad, y la resistencia alemana se derrumbó. Se necesitaron otros tres días para acallar las últimas bolsas de resistencia pero, como escribió Montgomery, «el principal impedimento al avance yacía entre los escombros causados por nuestros bombardeos».

Durante el forcejeo del XXX Cuerpo por la conquista de Bremen, los otros dos cuerpos del Segundo Ejército se habían acercado al Elba a todo lo largo de los 145 kilómetros de frente marcados por Montgomery que avanzaban hacia el noroeste desde Wittenberge hasta el Mar del Norte. Montgomery avanzó con gran deliberación. A la derecha, el VIII Cuerpo, que supuestamente avanzaba con rapidez con el Noveno Ejército de los Estados Unidos, tuvo un relativamente fácil trayecto a campo traviesa pero pese a todo alcanzó el río seis días después que la punta de lanza de los norteamericanos. El XII Cuerpo, en medio de la línea británica, se retrasó aún más; hasta el 23 de abril no eliminó a los alemanes de la orilla oeste del Elba frente a Hamburgo. Luego transcurrieron los días mientras los dos cuerpos se preparaban metódicamente para lo que podía ser una difícil operación múltiple: cruzar el Elba combatiendo, capturar Hamburgo con un asalto al norte, y luchar hacia el noreste a través de la base de Jutlandia hasta el Báltico.

El 27 de abril Eisenhower estaba convencido de que Montgomery no hacía avanzar a su Segundo Ejército con la suficiente fuerza, y se volvió algo más que un poco ansioso. Un amplio número de fuerzas soviéticas habían cruzado las líneas alemanas del río Oder al norte de Berlín y estaban dirigiéndose al oeste hacia Jutlandia encontrando muy poca resistencia. Así, el Mando Supremo –y Churchill también– enviaron preocupados mensajes a Montgomery urgiéndole a que se apresurara. «¡Me temo que me irrité un poco –escribió más tarde Montgomery–, y mis respuestas probablemente lo dejaron ver!» Tenía la sensación de que no necesitaba que le dijeran cómo debía actuar. «En lo que a mí respectaba, los rusos que se estaban acercando eran más peligrosos que los alemanes a los que golpeábamos.»

Ahora Montgomery tenía la sensación de que podía usar un poco de ayuda de combate norteamericana, y Eisenhower le prestó tres divisiones bajo el mando del teniente general

Matthew Ridgway del XVIII Cuerpo Aerotransportado. Aunque estas divisiones estaban dispersas desde el Ruhr hasta la parte media del Elba, se congregaron con tanta rapidez en el frente británico que Montgomery se sintió inspirado a adelantar el cruce principal del río del 1 de mayo al 29 de abril. Según el plan, el VIII Cuerpo británico tenía que cruzar primero y establecer una cabeza de puente a partir de la cual los norteamericanos pudieran avanzar hacia el este. Pero cuando Ridgway, que avanzaba a lo largo del Elba, no se encontró con fuego enemigo, llegó a la conclusión de que los alemanes estaban absolutamente descorazonados y de que podía cruzar tranquilamente por su propia cuenta sin el menor riesgo. Ridgway propuso la idea al comandante del Segundo Ejército, el teniente general sir Miles Dempsey, y Dempsey se mostró de acuerdo.

Antes del amanecer del 29 de abril un destacamento de comandos británicos cruzó el Elba cerca de Lauenburg frente a una resistencia casi desdeñable. En el sector norteamericano, diez kilómetros al sur en Bleckede, Ridgway eligió al general de división James M. Gavin, comandante de la excelente 82ª División Aerotransportada, para actuar como cabeza de lanza del ataque. Las tropas paracaidistas de Gavin se sintieron altamente descontentas. Se habían preparado para lo que podía haber sido una de las grandes hazañas de la guerra, un lanzamiento sobre el aeropuerto de Tempelhof, cerca del centro de Berlín. Pero este plan había sido cancelado; en vez de ello se habían dedicado a tediosas tareas de ocupación cerca de Colonia. Ahora habían sido trasladados al otro lado de Alemania para sacarles a algunos británicos las castañas del fuego.

Las fuerzas de asalto de Gavin cruzaron con facilidad el Elba bajo una inesperada nevada a la 1 a.m. del 30 de abril. Los alemanes lanzaron un fuerte bombardeo para impedir a los ingenieros instalar en el río los puentes necesarios para el pase de tanques y camiones. Pero durante todo aquel día las tropas paracaidistas extendieron sus posiciones, los ingenieros trabajaron bajo el fuego, y a la caída de la noche el equipo pesado estaba cruzando el Elba por un puente de pontones de 400 metros de largo.

Los británicos y los americanos completaron su acumulación de fuerzas en la orilla oriental, luego empujaron rápidamente sus ataques a través de Schleswig-Holstein. Al norte, la 11ª División Acorazada avanzó sobre Lübeck sin disparar ni un solo tiro, atrapando a un número sustancial de fuerzas alemanas a lo largo de la frontera danesa. La 6ª División Aerotransportada británica, parte del cuerpo de Ridgway, avanzó 85 kilómetros a través de la península hasta Wismar. El resto del cuerpo formó una línea de refriega que selló la

península contra cualquier posible entrada rusa desde el sur. Mientras la 82ª Aerotransportada tomaba Ludwigslust, apoyada por un comando de combate de la 7ª División Acorazada, la 8ª División de los Estados Unidos avanzó 70 kilómetros hacia el noreste a través del cuello de la península para alcanzar Schwerin entre la costa y el Elba el 2 de mayo. Dos horas más tarde, la 6ª División Aerotransportada británica se encontró con sus primeros rusos en Wismar.

Mientras se estaba desarrollando la operación Schleswig-Holstein, las unidades del XII Cuerpo británico que habían rodeado Hamburgo se preparaban para invadir la ciudad, o para ser atacadas por una heterogénea fuerza alemana que había sido reunida en el noreste. Ninguno de los dos asaltos tuvo lugar.

La ciudad de Hamburgo había llegado a ser conocida en la Alemania que se derrumbaba como un refugio relativamente seguro; era un imán para hombres importantes que deseaban abandonar subrepticiamente la nave que hacía aguas del estado nazi. Uno de los más prominentes entre los defectores era el Gauleiter de Hamburgo, Karl Kaufmann, que era también el Comisario del Reich para el transporte marítimo. En Berlín, a primeros de abril, Kaufmann se había mostrado en desacuerdo con el edicto de Hitler de que Hamburgo era una fortaleza oficial, que había que defender hasta la muerte. Aunque sabía que a partir de entonces la Gestapo estaría vigilándole muy de cerca, Kaufmann preparó una elaborada conspiración para rendir toda la costa del Mar del Norte a los británicos. Este plan, que dependía de la cooperación del mariscal de campo Ernst Busch, el jefe militar del nuevo mando del norte del almirante Karl Dönitz, demostró ser demasiado ambicioso. Kaufmann arregló las cosas para rendir Hamburgo.

A través de sus conocidos en el mundo de la navegación –incluidos miembros del ministerio de Transporte Marítimo y dos expertos alemanes en cuestiones marítimos que vivían en capitales escandinavas–, Kaufmann empezó a enviar mensajes a las autoridades británicas. Esta red canalizó la noticia a la Oficina de Guerra en Londres de acelerar el avance británico sobre Hamburgo. Kaufmann tuvo pocos problemas en despertar un sentimiento local hacia la rendición, porque Hamburgo se hallaba entre las ciudades del Reich más intensamente bombardeadas.

Se había efectuado un intento separado de rendir Hamburgo a través del movimiento de resistencia danés por parte del general de las SS Hans Prützmann. Prützmann había sido jefe titular de los Hombres Lobo, un grupo de guerrilla recientemente creado por Hitler para cometer sabotajes y asesinatos en las zonas aliadas de retaguardia. Los Hombres Lobo no eran una organización formal; podía ser miembro cualquiera que se considerara miembro. Sólo unos pocos obcecados y escolares fanáticos lo hicieron, y sus éxitos fueron menores. De todos modos, la idea de los Hombres Lobo fascinó al ministro de Propaganda Joseph Goebbels. Usurpó rápidamente el papel de Prützmann creando una emisora de radio llamada Radio Hombre Lobo y radiando a través de ella su propia prosa soliviantadora de multitudes. Desplazado de su trabajo como Hombre Lobo, Prützmann descubrió que sus esfuerzos de rendición eran superfluos. Se dirigió al norte para escapar pero fue capturado por los británicos, y se suicidó antes de poder ser interrogado.

Hamburgo albergaba también al ministro de Armamento y Producción de Guerra Albert Speer, un amigo íntimo de Kaufmann. Speer había volado al norte después de efectuar una última visita sentimental a Hitler el 23 de abril, y en Hamburgo se citó con el general de la Luftwaffe Werner Baumbach. Baumbach era un hombre alto, rubio, apuesto, con el aspecto de una foto de propaganda del nazi arquetípico, pero cada vez se había sentido más amargado hacia Hitler por permitir que la Luftwaffe se deteriorara. Baumbach estaba a cargo de los aviones del cuartel general del gobierno y tenía acceso a un hidroavión en el norte de Noruega cargado con provisiones para seis meses. Él y Speer tenían planeado volar hasta Groenlandia, donde aguardarían a que se calmara el caos de la posguerra y considerarían qué hacer a continuación. Pero a última hora Speer decidió abandonar cualquier idea de volar al extranjero. Junto con Baumbach, fue a Plön y se unió al mando del norte alrededor del almirante Dönitz.

El último pero no por ello el menos importante de los nazis en Hamburgo ansiosos por cambiarse de chaqueta era el Reichsführer-SS Heinrich Himmler, que había establecido su cuartel general en el Hotel Atlantic, un hotel de moda. En la última semana de abril, las actividades subversivas de Himmler alcanzaron y rebasaron el estadio crítico. Su oferta de rendir toda Alemania a los aliados occidentales, hecha a través del conde sueco Bernadotte el 23 de abril, fue rechazada dos días más tarde por el presidente Harry S. Truman (el sucesor de Roosevelt) y Churchill debido a que excluía a la Unión Soviética.

Himmler todavía creía que sería llamado para negociar una rendición, pero tenía un plan de repuesto que incluía escapar al sur hasta Praga en avión. Para preparar su partida llamó al general Baumbach el 28 de abril y le dijo: «Tengo que iniciar negociaciones y probablemente necesitaré algunos aviones. ¿Tiene usted algunos?». Baumbach prometió mirarlo. Consultó con Speer, y los dos decidieron meter a

Las baterías de la artillería británica desencadenan un bombardeo nocturno mientras los ejércitos del mariscal Montgomery se preparan a cruzar el Elba para el avance final en el norte de Alemania. Ayudados por los norteamericanos, los británicos tenían que avanzar hacia el norte hasta la costa del Báltico en Lübeck y capturar Hamburgo.

En los últimos y alocados días de la guerra, unos saqueadores distribuyen en Hannover comida a una multitud compuesta tanto por trabajadores esclavos como por hambrientos civiles alemanes.

Un soldado intenta impedir que los trabajadores rusos despojen una tienda alemana.

Soldados británicos ayudan a los trabajadores que han quedado atrapados en un edificio incendiado.

LA REVUELTA DE LOS TRABAJADORES ESCLAVOS

En el clímax de la guerra en Europa, 7,5 millones de trabajadores esclavos estaban trabajando en Alemania. A lo largo de un período de cinco años, habían sido reclutados de las naciones ocupadas con la característica eficiencia nazi: en un barrido típico, los hombres y mujeres jóvenes eran detenidos por las calles en su camino de vuelta a casa de sus respectivos trabajos y enviados directamente al Reich.

Los trabajadores así reclutados por la fuerza trabajaban en las fábricas de municiones alemanas, recogían las cosechas alemanas y se convertían en criados de las amas de casa alemanas. Muchos eran sometidos a un tratamiento innoblemente degradante: mal alimentados, viviendo sin calefacción ni medidas sanitarias adecuadas en barracones bombardeados, en húmedas cuevas o incluso en perreras.

Para aquellos que sobrevivieron para ser liberados por las tropas aliadas, los primeros momentos de libertad resultaron ser a menudo más de lo que podían resistir. En Salzwedel, a unos 120 kilómetros al sur de Hamburgo, multitudes de trabajadores liberados vagaban por la calle saqueando, peleando entre ellos por el botín y tomando venganza sobre sus antiguos amos. En un incidente, una multitud arrastró a un hombre de las SS herido hasta el pavimento y lo pisoteó hasta matarlo, arrancándole la carne a tiras. Otros actos de venganza fueron ciegamente destructivos: un grupo de trabajadores se apoderó de barriles de mermelada y vació su contenido en la calle.

En estas circunstancias, los soldados aliados se encontraban a menudo en medio, o bien defendiendo las vidas y las propiedades de los alemanes de los saqueadores o protegiendo a los trabajadores de los desesperados alemanes. En Osnabrück, un policía alemán espió a un grupo de trabajadores saquear el sótano de un almacén; tras aguardar a que la mayor parte del grupo hubiera entrado en el sótano, incendió el edificio. Las tropas británicas que habían tomado la ciudad rescataron a la mayor parte de los saqueadores, pero pese a sus esfuerzos *(arriba a la derecha)*, dos mujeres trabajadoras murieron.

Himmler en un avión y llevarlo hasta un aeropuerto ya en manos aliadas. Himmler, cuyo sistema de inteligencia aún funcionaba, supo del plan de entregarlo al enemigo. Se enfrentó a Baumbach gruñendo: «¡Cuando la gente vuela en sus aviones, nunca sabe dónde va a aterrizar!».

Además de sus planes de traición y huida, Himmler también alimentaba grandes sueños de continuar la guerra en el norte, en Schleswig-Holstein. Tal como fueron las cosas, sin embargo, terminó –como Baumbach y Speer– manteniéndose simplemente cerca de Dönitz y lo que quedaba de un Reich organizado. Abandonó el área de Hamburgo y se encamino al norte, hacia Plön.

El destino de Hamburgo dependió en última instancia del general de división Alwin Wolz, el recio comandante con gafas de la ciudad. El comandante británico que había sitiado Hamburgo, el general de división L. O. Lyne de la 7ª División Acorazada, estaba convencido de que el Gauleiter Kaufmann tenía intención de rendirse. Pero no estaba absolutamente seguro de que Wolz dirigiera sus heterogéneas fuerzas a deponer sus armas. Así, el 29 de abril, el general Lyne inició tentativamente las negociaciones, enviando a Wolz una llamada «en nombre de la humanidad» para que se rindiera mientras estaba todavía en Hamburgo.

La respuesta de Wolz fue alentadora. Pese a las órdenes que tenía de retener Hamburgo, dijo: «Estoy preparado, junto con el representante autorizado del Gauleiter Kaufmann, a discutir la eventual rendición de Hamburgo y las consecuencias a largo plazo que surjan de ello».

La reunión entre negociadores que siguió fue incluso mejor. Como un toque amistoso, un alemán educado en Oxford llevó un pañuelo con los colores de su colega, y Wolz eliminó todas las dudas con su afirmación de apertura: «El punto principal es el momento real en el que el general Lyne desea entrar en Hamburgo».

Más notable aún, desarrolló que los emisarios alemanes tenían poderes para acordar mucho más que la simple rendición de Hamburgo, y que por ello era necesario incluir al mariscal de campo Montgomery en las conversaciones. Para todos los efectos prácticos, la campaña de los aliados en el flanco norte había llegado a su fin.

En el flanco sur se había iniciado una nueva fase de la Guerra el 14 de abril, el mismo día que Eisenhower envió a los Jefes de Estado Mayor Combinados su plan estratégico para la resolución de las hostilidades. Tal como se estipulaba en el plan, los ejércitos en el sur hicieron una pausa para reagruparse. El comandante supremo habló finalmente a sus generales norteamericanos del portentoso cambio que había revelado a los británicos hacía más de dos semanas: los aliados occidentales no iban a tomar Berlín. Por razones sólo conocidas por Eisenhower, éste no había informado ni siquiera al general Bradley, su más cercano confidente y el comandante aliado en el oeste con mayor número de tropas. (El Decimosegundo Grupo de Ejército de Bradley comprendía los Ejércitos Primero, Tercero, Noveno y Decimoquinto de los Estados Unidos, más de 1,3 millones de soldados.) Presumiblemente Eisenhower había retenido el anuncio para posponer el bajón de moral que estaba seguro iba a causar entre sus generales.

La reacción del general Patton fue más bien suave para él, quizás debido a que su Tercer Ejército estaba demasiado al sur para tomar parte aunque hubiera habido una operación contra Berlín. Un ayudante de Patton recontó más tarde que cuando Eisenhower le comunicó al general la noticia, Patton simplemente le miró incrédulo y dijo: «Ike, no sé qué pensar de esto. Hubiera ido mejor que tomáramos Berlín y rápido, y luego seguido hasta el Oder». Más tarde en la conversación, Eisenhower observó que no comprendía por qué todo el mundo deseaba tomar la capital alemana, con todos los problemas que entrañaba. Ante aquello, Patton puso las manos en los hombros de Eisenhower y dijo: «Creo que la historia responderá a esa pregunta por usted».

A mediados de abril, el ejército de Patton alcanzó su línea de parada al sur del Primer Ejército, al otro lado de un afluente del río Mulde en Chemnitz. El avance de Patton a través de Alemania había sido rápido, aunque no lo suficientemente rápido como para convencer al propio Patton. Mientras avanzaba hacia el este por el corredor entre Frankfurt am Main y Kassel, se había visto obligado por los planes del Grupo de Ejército a detenerse varias veces para que el Primer Ejército pudiera ponerse a su nivel. Luego, después de que sus blindados rebasaran la oposición organizada y estaba avanzando entre 25 y 30 kilómetros al día con pérdidas mínimas, Eisenhower y Bradley le dijeron que estaba yendo demasiado rápido. Patton la observación le pareció excesivamente cautelosa; antes había escrito en su diario: «Cuando esos dos van juntos, se vuelven tímidos».

Patton necesitaba urgentemente una nueva pelea, y Bradley le dio la misión más beligerante que pudo. El Tercer Ejército tenía que girar hacia el sureste a lo largo de la frontera occidental de Checoslovaquia en dirección a Linz, Austria. Por el camino, Patton tenía que buscar y destruir el reducto nacional, o al menos ayudar a refutar su existencia. Luego tenía que reunirse con los rusos en o cerca de Linz.

Patton se sintió algo menos que encantado con la misión. Tanto él como su brillante jefe de inteligencia, el coronel

Frente al ayuntamiento de Hamburgo, el general de división Alwin Wolz (saludando) rinde la segunda ciudad más grande de Alemania y su puerto más importante a los oficiales británicos. Cuando las tropas se ocupación se abrieron camino por las devastadas calles de la ciudad, quedaron impresionados por la meticulosa forma en que los escombros de la guerra habían sido barridos a un lado. «Incluso en la derrota –escribió un soldado– los alemanes eran absolutamente limpios.»

Oscar W. Koch, estaban convencidos de que el reducto nacional era una alucinación; respecto a los rusos, Patton deseaba ganarles antes que reunirse con ellos. Bradley mencionó informalmente una posibilidad que excitó a Patton, que el futuro desarrollo de los acontecimientos podía proporcionar al Tercer Ejército el trabajo de invadir y liberar al menos parte de Checoslovaquia. Pero en cierta forma este aliciente incrementó la frustración de Patton. Como sus patrullas en Checoslovaquia descubrieron el 17 de abril, podía alcanzar Praga, la capital, en tres días y tomarla en uno o dos más. Pero no podría actuar hasta dentro de las tres semanas siguientes, en cuyo momento cabía esperar que los rusos alcanzaran y entraran en la ciudad.

Patton ordenó hoscamente a su ejército que se reagrupara, un tedioso proceso, y voló con un día de permiso a París, donde supo la noticia de su promoción a general de cuatro estrellas. Al regresar a Alemania visitó Merkers, donde una observación casual de un ciudadano a un soldado había conducido al descubrimiento de las reservas de oro del Reich que llenaban las enormes cámaras de una mina de sal. Visitó el campo de concentración de Ohrdruf cerca de Wiesbaden y se sintió violentamente enfermo ante el horrible espectáculo que presenció allí, pero perseveró y visitó un lugar mucho peor, Buchenwald. Escribió: «Desde la sala de ejecuciones en la instalación de Buchenwald había un ascensor, accionado a mano, que llevaba los cadáveres a una planta incineradora en el piso de arriba. El esclavo a cargo de él se sentía orgulloso y no dejaba de pasar su mano por el suelo y de mostrarme lo limpio que estaba».

El Tercer Ejército inició su avance hacia el sur el 19 de abril, y Patton siguió el 22, trasladando su cuartel general de Hersfeld, sobre las montañas, a Erlangen. Los cuatro grandes cuerpos de Patton –su ejército crecía rápidamente hasta unos prodigiosos 540.000 hombres– efectuaron un avance firme y sin incidentes; el XX Cuerpo a la derecha del ejército cruzó el Danubio el 26 de abril y se apoderó de la histórica Ratisbona, capturada en 1809 por Napoleón. El 27 el Tercer Ejército capturó a su 600.000º prisionero desde el inicio de las operaciones en el Continente en agosto de 1944. Patton eligió ese día para echar una mirada al fabuloso Danubio, y según se dice se alejó de sus lodosas aguas sin sentirse en absoluto impresionado.

De hecho, nada impresionaba a Patton por aquellos días. Cerca de Ingolstadt, su III Cuerpo tropezó con una amplia fuerza alemana con un elegante nombre de la mitología alemana, la *Division Nibelungen*, pero que estaba formada por sólo unos cuantos tanques obsoletos y nada de artillería. Patton la aniquiló y ni siquiera mencionó la batalla en su extensa correspondencia. A medida que transcurrían los días de abril, el hombre que había dicho «amo la guerra y la responsabilidad y la excitación» soñaba con batir a los rusos en el camino a Praga y luego pedir el traslado al Pacífico. Escribió lúgubremente en su diario y en una carta a casa: «No ocurre nada de interés» y «Me siento tan bajo como las huellas de una ballena en el fondo del océano».

Aunque Patton sólo era vagamente consciente de ello, el destino de Checoslovaquia estaba siendo trazado entre Eisenhower y los soviéticos. Tras varios días de negociaciones a finales de abril, Eisenhower obtuvo el acuerdo de los rusos para que los norteamericanos avanzaran hasta una línea que recorría las ciudades de Budweis, Pilsen y Karlsband. El 4 de mayo, Eisenhower pasó la noticia del acuerdo a Bradley, que concedió a Patton el permiso para cruzar la frontera checoslovaca. Patton lanzó un hurra de alegría. De pronto, casi demasiado tarde, la guerra empezaba a ser excitante de nuevo.

El amplio sendero abierto por el enorme ejército de Patton en su camino al sudeste iba de Chemnitz a Ratisbona y reducía el frente que era responsabilidad del Sexto Grupo de Ejército del general Jacob Devers, que ahora cubría una línea que iba desde Ingolstadt hasta Stuttgart. Devers se sintió agradecido; raras veces recibía este tipo de ayuda del cuartel general de Eisenhower porque la posición tan al sur de su grupo se hallaba fuera del avance principal de la campaña. El recorte del frente de Devers significaba que sus dos ejércitos se encaminaban casi directamente al sur, con el Séptimo Ejército de los Estados Unidos bajo el mando del teniente general Alexander Patch a la izquierda, apuntando hacia Salzburgo y Austria occidental, y el Primer Ejército francés del general Jean de Lattre de Tassigny a la derecha, siguiendo la orilla norte del lago Constancia y la frontera suiza.

Reflexionando sobre esta disposición de las fuerzas, el general Patch se veía invadido por sentimientos encontrados. Tras las pérdidas que su ejército acababa de sufrir en la batalla de Nuremberg, la presencia de Patton a su izquierda era un alivio. Pero se sentía menos contento con el francés a su derecha: el general De Lattre se metía deliberadamente en su territorio a cada oportunidad.

De Lattre veía el asunto de un modo muy distinto. Los Estados Unidos habían equipado originalmente su ejército;

Cerca de la frontera de Austria –el primer país en ser engullido por el Tercer Reich y uno de los últimos en ser liberado–, hombres de la 11ª División Acorazada de los Estados Unidos observan el estallido de las granadas a lo largo de una cresta que alberga una de las pocas bolsas de resistencia alemana que encontraron en el área.

pero para De Lattre, los americanos esperaban a cambio una obediencia esclava sin ningún acuerdo específico o ninguna voz francesa en los consejos de guerra. El líder del Gobierno Provisional reconocido en Francia, el general Charles de Gaulle, había dicho a menudo y de muchas formas a De Lattre que los americanos estaban intentando frustrar las aspiraciones nacionales legítimas de Francia; que una vez un trecho de territorio alemán había sido capturado, pertenecía al captor y no mutuamente a los aliados; y que De Lattre tenía que usar su ejército para finalidades francamente políticas, para restablecer el orgullo y la gloria franceses. De Lattre, un poeta romántico y un estilista de la prosa además de un hábil táctico, declaró grandilocuentemente: «Era mi deber ser temerario porque el bien de la nación lo hacía imprescindible».

El 18 de abril, De Lattre había entrado triunfalmente en el territorio del Séptimo Ejército de Patch para apoderarse de la ciudad universitaria de Tubinga. En una operación conjunta cuatro días más tarde, se suponía que las unidades de Patch debían invadir Stuttgart desde el norte y el este para impedir la huida del Decimonoveno Ejército alemán; mientras tanto, las tropas francesas tenían que aproximarse desde la Selva Negra en el suroeste y dominar la ciudad.

Los franceses tomaron Stuttgart según lo previsto, capturando 28.000 prisioneros con un coste de 700 bajas. Pero en las secuelas de la victoria olvidaron los detalles cotidianos como mantener el orden en Stuttgart –que se vio invadida por hordas de trabajadores esclavos– para que las provisiones pudieran ser enviadas con seguridad y rápidamente a través de la ciudad al Séptimo Ejército de Patch, más al este. Mantener controladas estas cosas era especialmente importante porque las carreteras en la parte sureste de Alemania eran pocas y relativamente malas; cualquier obstrucción era considerada como intolerable. Devers ordenó a los franceses que entregaran la ciudad a los norteamericanos, pero cuando las unidades de los Estados Unidos llegaron el 24 de abril para hacerse cargo de ella, De Lattre se negó a marcharse. Patch apeló a Devers, que ordenó dos veces a De Lattre que se fuera.

En este punto De Gaulle dio instrucciones a De Lattre: «Le requiero que mantenga una guarnición francesa en Stuttgart e instituya de inmediato un gobierno militar». Si los norteamericanos protestaban, se le dijo, «les responderá que las órdenes de su gobierno son retener y administrar el territorio conquistado por nuestras tropas hasta que se haya fijado la zona de ocupación francesa entre los gobiernos interesados». Con estas órdenes a De Lattre, lo que estaba haciendo De Gaulle era, de hecho, retener Stuttgart como rehén hasta que los aliados trazaran con detalle sobre el mapa el territorio que en Yalta habían aceptado de forma general que Francia debía administrar después de la guerra.

Cuando Devers notificó a Eisenhower que su autoridad había sido despreciada en dos ocasiones, el Mando Supremo presentó una protesta oficial ante De Gaulle. La protesta de Eisenhower a un difícil aliado –De Gaulle minaba consistentemente los intereses generales aliados para mejorar las metas unilaterales francesas– era de tono suave. Decía que no interrumpiría el envío de suministros a De Lattre ni haría nada para entorpecer la efectividad de la cooperación franco-norteamericana; al contrario, rediseñaría los mapas y reescribiría las órdenes para que los franceses pudieran quedarse en Stuttgart. Pero, puesto que no podía contarse con que las divisiones francesas aceptaran órdenes de los norteamericanos, Eisenhower se cuestionaba si era lógico seguir equipando a más de ellas.

El cuello de botella francés en Stuttgart no solamente interfería con el sistema de aprovisionamiento norteamericano, sino que también ponía en peligro la misión secreta de un pequeño grupo de científicos norteamericanos camuflados como soldados. El nombre código de su operación, *Alsos*, era una clave de su trabajo. *Alsos* es la palabra griega para un bosquecillo de árboles, un retruécano erudito sobre el nombre del general Leslie R. Groves (*grove* significa bosquecillo en inglés), director del *Proyecto Manhattan*, el muy secreto y altamente prioritario esfuerzo norteamericano para desarrollar una bomba atómica. Según los informes de la inteligencia de los Estados Unidos, el programa de investigación nuclear alemán tenía su base en Hechingen, a 80 kilómetros al sur de Stuttgart. La ciudad se hallaba dentro del territorio tomado por los franceses, pero todavía no había sido ocupada por sus fuerzas. El equipo *Alsos* había acudido a capturar a los científicos alemanes, estudiar sus experimentos y averiguar lo cerca que estaba el enemigo de producir una bomba atómica..., todo ello sin revelar nada del proyecto a los franceses.

Los hombres de *Alsos*, conducidos por el coronel Boris T. Pash y escoltados por un contingente de ingenieros de combate –que no sólo sabían luchar sino que también podían desmantelar y reparar máquinas y otro equipo–, se encaminaron hacia Hechingen por una ruta tortuosa al tiempo que disimulaban su rastro por entre las líneas francesas. Tras entrar en Hechingen, capturaron a los científicos alemanes en la ciudad y hallaron las instalaciones de investigación ocultas en una cueva. Pronto se les hizo obvio que los aliados no tenían por qué preocuparse por la investigación nuclear alemana. Los alemanes estaban interesados principalmente en desarrollar un motor nuclear para submarinos, y todavía no habían avanzado lo suficiente como para provocar una reacción nuclear en cadena.

En Stuttgart, De Lattre se sentía insatisfecho con la línea interejércitos trazada de nuevo que legitimaba la posesión francesa de la ciudad. Deseaba capturar Ulm, a unos 80 kilómetros al este de Hechingen, en parte porque Napoleón había conseguido una espléndida victoria allí contra Austria en 1805. La ciudad estaba a 70 kilómetros dentro del territorio del Séptimo Ejército norteamericano. De Lattre también quería tomar la ciudad de Sigmaringen, a unos 50 kilómetros al sureste de Hechingen, también parte de la zona de Patch; importantes políticos del régimen colaboracionista de Vichy que había gobernado Francia bajo control alemán habían huido a Sigmaringen en 1944, y habían establecido un gobierno en el exilio allí. Puesto que tanto Ulm como Sigmaringen estaban en el Danubio, De Lattre envió una columna blindada con órdenes de tomar Sigmaringen primero, luego seguir río abajo hasta Ulm.

La columna de De Lattre tomó Sigmaringen sin demasiados problemas, pero descubrió que los vichyitas se habían dispersado. De Lattre no se desanimó por ello. «¡Bravo! –exclamó mientras sus tanques avanzaban hacia Ulm–. Los norteamericanos podrán desalojarnos, pero la bandera francesa habrá ondeado allí.»

El 22 de abril, unidades de la 10ª División Acorazada de Patch alcanzaron las afueras occidentales de Ulm, que estaba siendo ocupada intermitentemente por pequeñas unidades de los alemanes en plena retirada. Los norteamericanos no tenían la menor idea de que De Lattre estaba invadiendo de nuevo su territorio, y fue una suerte que los soldados yanquis y sus errantes aliados se reconocieran rápidamente unos a otros cuando la columna francesa, compuesta por dos batallones, llegó retumbando por el suroeste al día siguiente. Según De Lattre, el comandante de la 10ª Acorazada, el general de división William Morris Jr., no se sintió en absoluto trastornado por la intrusión francesa. «Entre tanquistas –dijo Morris– siempre nos entendemos.»

La historia fue completamente distinta cuando la noticia del incidente llegó al cuartel general del Sexto Grupo de Ejército. El general Devers, con su paciencia llevada al extremo, envió un oficial al cuartel general de De Lattre con una orden de retirada inmediata de los franceses al lado francés de la línea. El general De Lattre ignoró la orden.

El 24 de abril se unieron a la batalla de Ulm un comando de combate de la 10ª División Acorazada, un regimiento de infantería de la 44ª División de los Estados Unidos y los dos batallones no invitados del ejército de De Lattre. Los franceses estuvieron en el centro de la lucha durante todo el día. «Por la tarde –escribió De Lattre–, nuestra tricolor ondeaba encima de la ciudadela.» Sólo entonces aceptó De Lattre retirarse a su propio lado de la línea.

La captura de Sigmaringen y Ulm destruyó el extremo occidental de la línea defensiva del mariscal de campo Kesselring, que iba más o menos de este a oeste a lo largo del Danubio dentro de la parte sur de Alemania; sus ejércitos no podían impedir que De Lattre y Patch avanzaran hacia el sur. De Lattre se dirigió hacia el lago Constancia, luego siguió la orilla norte del lago. En Friedrichshafen capturó la antigua Institución Zeppelin que había desarrollado los dirigibles, famosos por bombardear Londres durante la Primera Guerra Mundial, y siguió sin problemas hasta la región de Vorarlberg, en el extremo occidental de Austria. La lucha en este tramo de la marcha era a una escala diminuta, casi personal, como queda demostrado en la descripción de De Lattre del encuentro de un sargento francés y algunos de sus hombres con un orgulloso coronel alemán en Überlingen:

«Cuando le pedimos que se rindiera, se negó y siguió apuntando su arma. La escena pareció inmovilizarse unos instantes, porque nuestros hombres eran reacios a abatir a aquel hombre solitario cuya obstinación no dejaba de tener su grandeza. Finalmente, para acabar con la situación, el sargento tomó una decisión y metió una bala en el brazo del coronel. Entonces, con gran dignidad, el coronel arrojó su revólver y avanzó un paso, declarando: "Ahora que estoy herido, puedo rendirme."»

A la izquierda de De Lattre, el Séptimo Ejército de los Estados Unidos avanzaba hacia el sur y el sureste con tres cuerpos en línea, y cada cuerpo tomaba una media de 1.000 prisioneros al día. El comandante del VI Cuerpo, que guardaba el flanco derecho del Séptimo Ejército, dijo a sus tropas: «Esto es una persecución, no un ataque». Los soldados se apresuraban hacia delante, montados en todo aquello que pudiera moverse, incluidos los vehículos abandonados por las unidades alemanas cuando se quedaron sin gasolina. Avanzaron por retorcidas carreteras de montaña de enormes pendientes, cruzaron profundas gargantas y ascendieron hasta altos y estrechos pasos; en medio de paisajes impresionantes capturaron el pueblo de Oberammergau, donde se representa la Pasión, y la estación de esquí de Garmish-Partenkirchen. Y no hallaron nada que sugiriera la existencia de un reducto nacional en ningún lado de la frontera germano-austríaca, que dos divisiones del VI Cuerpo cruzaron el 29 de abril.

En Austria central, sin embargo, las tropas de los Estados Unidos tropezaron de nuevo con unidades del ejército de De

Lattre invadiendo su territorio. Los norteamericanos y los franceses rivalizaron frenéticamente para ganarse unos a otros en ocupar los vitales pasos que cruzaban los Alpes austríacos. La única finalidad de esta carrera era alcanzar primero la frontera italiana y estrechar la mano de las tropas aliadas que ascendían hacia el norte desde Italia. Empujado más allá de toda resistencia por los franceses, Patch les cortó el camino en las carreteras, y los franceses tomaron las montañas; en un sprint que hacía poner los pelos de punta, un pelotón francés se calzó los esquíes en la zona de Landeck y tomó un atajo de 30 kilómetros a través de montañas de más de 3.000 metros de altura.

Los otros dos cuerpos del Séptimo Ejército, que avanzaban hacia Baviera en su camino a Austria, tropezaron con alzamientos antinazis. El XV Cuerpo a la izquierda y el XII Cuerpo en el centro se acercaban a Munich y Augsburgo reswpectivamente cuando, el 27 de abril, sus elementos de vanguardia fueron interceptados por alemanes que suplicaron que sus ciudades fueran respetadas hasta que los insurgentes se apoderaran de ellas y negociaran una rendición pacífica. En Augsburgo, la revuelta la formaban media docena de pequeños grupos que nunca habían oído hablar unos de otros y mucho menos se habían unido para coordinar sus esfuerzos. Aunque algunos ciudadanos agitaron banderas blancas desde sus casas y algunos servidores de piezas de artillería cerraron las bocas de sus cañones con blancas fundas de almohada, las fuerzas aún leales a Hitler seguían dominando la zona hasta que un rebelde condujo a un batallón de la 3ª División estadounidense hasta el puesto de mando de la ciudad. Cinco minutos más tarde, Augsburgo se rendía.

Munich, la tercera ciudad más grande de Alemania y el lugar de nacimiento del Partido Nazi, resultó ser un campo fértil para los insurgentes. Su líder era un joven capitán del ejército llamado Ruppert Gerngross, que había vuelto herido y amargado del frente ruso en 1941, y que había sido puesto al mando de una unidad de traductores del ejército en Munich. Con los años, el capitán Gerngross y otros lingüistas que pensaban igual que él habían ido reclutando cautelosamente antinazis entre los rangos de los abogados, médicos, profesores y funcionarios públicos locales; también habían conseguido partidarios entre los directores de tres grandes fábricas e incluso entre varias pequeñas unidades de infantería y tanques de reserva estacionadas allí. La organización, que Gerngross llamaba Acción Libre de Baviera (FAB), había desarrollado un intrincado plan para apoderarse de las instalaciones clave en Munich tan pronto como las tropas aliadas estuvieran lo bastante cerca como para distraer a las fuerzas principales leales a los nazis. Gerngross envió a dos hombres al cuartel general de Patch para comunicarle el plan con detalle; Gerngross esperaba que Patch declarara Munich ciudad abierta después de que la FAB se hubiera apoderado de ella.

A las 2 a.m. del 28 de abril, los hombres de la FAB entraron en acción, llevando brazaletes blancos para identificarse unos a otros en la oscuridad. Los equipos rebeldes se apoderaron de unos acuartelamientos del ejército, arrestaron a Franz Ritter von Epp, un viejo general que controlaba la zona de Munich para el gobierno alemán, y capturaron una de las dos estaciones de radio de la ciudad. Gerngross salió al aire para pedir el apoyo popular. Por la mañana, muchos ciudadanos creyeron que la guerra había terminado; en lugar de la esvástica nazi izaron la bandera azul y blanca del antiguo reino independiente de Baviera.

Pero la promesa de la rebelión se esfumó muy pronto. Gerngross y la FAB no consiguieron neutralizar a los dos hombres más importantes en Munich: el Gauleiter Paul Giesler, el principal oficial del Partido Nazi, y el teniente general Siegfried Westphal, jefe de estado mayor del mando en el sur del mariscal de campo Kesselring. Giesler entró en trom-

El general francés Jean de Lattre de Tassigny (izquierda), comandante del Primer Ejército francés, comprueba un mapa con el general de división norteamericano Frank W. Milburn en enero de 1945. Aunque actuara ostensiblemente como parte de un grupo de ejército de los Estados Unidos, De Lattre siguió a menudo órdenes de París destinadas a realzar la gloria de Francia antes que a obedecer las directrices aliadas.

Para ahorrar daños innecesarios a su ciudad, los agentes de policía de Munich muestran a los oficiales del Séptimo Ejército de los Estados Unidos dónde siguen resistiendo todavía las tropas alemanas. Aunque un intento antinazi de varios grupos escindidos de tomar la ciudad con la esperanza de rendir Munich fue sofocado por los aún leales a Hitler, el casi golpe dificultó la oposición efectiva a los aliados.

ba en la emisora de radio que los rebeldes no habían tomado, salió al aire y denunció a los «despreciables truhanes» que habían fomentado el alzamiento. Enfrentada a una autoridad establecida inflexible, la opinión pública volvió a colocarse del lado de los nazis, y el general Westphal recuperó lentamente el control de la modesta guarnición de Munich. Un cierto número de insurgentes fueron tomados prisioneros y colgados o fusilados; Gerngross y tres colegas consiguieron escapar en un coche de las SS robado.

El Séptimo Ejército de los Estados Unidos iba a tener que luchar después de todo. Las Divisiones 42ª y 45ª de Infantería y la 20ª Acorazada del XV Cuerpo se aproximaron desde el noroeste y el norte. Por el camino las divisiones de infantería hallaron y liberaron el campo de concentración de Dachau. Además, el general Patch tomó prestada la 3ª División del XXI Cuerpo y la envió desde Augsburgo para ayudar, y las tropas de reconocimiento de otra unidad del XXI Cuerpo, la 12ª División Acorazada, giró en redondo para atacar Munich desde el suroeste.

La batalla, iniciada el 29 de abril con un fuerte duelo de artillería, fue un asunto desordenado. Los rebeldes de Gerngross habían conseguido impedir que las autoridades destruyeran los puentes que conducían a la ciudad, de modo que los norteamericanos tuvieron pocos problemas para entrar en ella. Pero una vez allí los soldados se hallaron metidos en una lucha impredecible. En varios barrios chocaron con tropas alemanas que todavía estaban ocupadas luchando contra los insurgentes. Los soldados de la 3ª y la 42ª Divisiones fueron recibidos por una pequeña multitud que los vitoreó mientras desfilaban hacia el centro de Munich, pero los hombres de la 45ª División tuvieron que librar una dura lucha habitación por habitación antes de terminar con la resistencia en una academia de las SS en las afueras del norte de la ciudad. Hasta la caída de la noche del 30 de abril no quedó Munich completamente pacificada.

Al sur de Munich y Augsburgo, el XV y el XXI Cuerpos tuvieron el trabajo fácil. Cada día parecía día de colada en las pequeñas ciudades como de juguete bávaras: sábanas blancas colgaban de incontables ventanas como signo de rendición. En la rara ocasión en la que los alemanes ofrecieron resistencia, unos cuantos disparos de metralleta de los soldados solían solucionar el asunto. Las unidades de reconocimiento de las divisiones acorazadas, equipadas con jeeps rápidos pero de carrocería delgada y coches blindados, avanzaban muy por delante de los más lentos y menos vulnerables tanques. El XV Cuerpo alcanzó la frontera austríaca tan rápidamente que el general Devers arregló con el general Bradley que el cuerpo se extendiera hacia el este y emprendiera la misión de cap-

turar el área de Salzburgo en vez de dar la tarea al ejército de Patton, parte de cuya infantería se había visto retenida por el mal tiempo.

Cuando el XV Cuerpo se deslizó hacia el este, varias de sus unidades compitieron enérgicamente con unidades del XXI Cuerpo por el honor de tomar el Berghof, la finca nido de águila de Hitler en el Obersalzberg. Hubo embotellamientos de tráfico abajo en la ciudad de Berchtesgaden; «Todo el mundo y su hermano está intentando llegar a la ciudad», informó el cuartel general del Séptimo Ejército.

Los hombres de la 3ª División alcanzaron el Berghof primero, seguidos por algunos tanques franceses, luego por las tropas paracaidistas de la 101ª División Aerotransportada. Hicieron pedazos el lugar. Cuando el reportero Percy Knauth del *Time* llegó allá, recorrió las habitaciones, saqueadas y acribilladas a balazos, y sólo halló una referencia personal del propietario: una tarjeta de visita impresa con el nombre de Eva Braun. «Todo el complejo, todo el extremo lujo del Obersalzberg estaba ahora en ruinas –escribió Knauth–. Encima de nosotros, mientras permanecíamos de pie en el umbral de la entrada, la vacía ventana panorámica se abría sobre los arrancados árboles y los cráteres de las bombas como un gran ojo vacío. Una enorme lámina de estaño medio fundido colgaba de la pared. Los árboles y arbustos habían desaparecido, la hierba había desaparecido, sólo había removida tierra marrón y rocas rotas, una burla de la belleza y el poder.»

Entre los dos, el grupo de ejército de Devers y el ejército de Patton habían sellado todos los pasos alpinos que hubieran podido proporcionar a las unidades enemigas la posibilidad de salir de Alemania en dirección a Austria. No habían detectado ninguna evidencia de reducto nacional en el sur de Alemania o en el noroeste de Austria. Además, el ejército de Patton había bloqueado las rutas de escape de todas las fuerzas alemanas en Checoslovaquia. Si existía algún reducto en alguna parte en Austria occidental, las tropas alemanas que lo formaban hubieran tenido que proceder de Italia, una posibilidad muy poco probable.

A mediados de abril, la ofensiva de primavera del mariscal de campo sir Harold Alexander, comandante aliado en Italia, había condenado a las fuerzas alemanas de la zona. El Grupo de Ejército C alemán había sido empujado al valle del río Po, donde la superioridad en tanques y aviones de los aliados situó a los alemanes en una severa desventaja. El comandante de campo de Alexander, el teniente general de los Estados Unidos Mark Clark, había alternado los ataques del octavo Ejército británico con los del Quinto Ejército norteamericano, permitiendo a las fuerzas aéreas aliadas concentrar su apoyo aire-tierra. Los alemanes se retiraron a través del Po al terreno montañoso al norte del río.

Mientras tanto, la operación *Sunrise* –las negociaciones para la rendición iniciadas por el general de las SS Karl Wolff y alimentadas por Allen Dulles de la OSS– parecían haber quedado muertas. Wolff había sido incapaz de convencer ni al general Heinrich-Gottfried von Vietinghoff, el comandante del Grupo de Ejército C, ni a su viejo superior, el mariscal de campo Kesselring. Las vacilaciones de Vietinghoff, junto con las protestas rusas sobre su exclusión de las reuniones, habían impulsado a los gobiernos norteamericano y británico a dar por terminadas las conversaciones. El 21 de abril, Dulles recibió un cable cifrado de Washington: JUNTA DE JEFES DE ESTADO MAYOR ORDENAN QUE OSS ROMPA DE INMEDIATO TODO CONTACTO CON EMISARIOS ALEMANES.

Dulles se sintió desconsolado. La cancelación llegaba justo en el momento en que una nueva preocupación política hacía que una rápida rendición alemana fuera lo más deseable. Con el debilitamiento alemán, grupos de partisanos estaban ocupando el territorio por todo el norte de Italia. Los grupos más fuertes eran comunistas, y la organización que coordinaba los grupos, el Comité de Liberación Nacional, estaba dominado por los comunistas. Era posible que los alemanes retrasaran el avance de los aliados justo el tiempo suficiente para que los partisanos establecieran un gobierno comunista en el norte. Dulles odiaba ver morir las negociaciones de rendición.

De hecho, sin embargo, *Sunrise* se había negado a morir. Curiosamente, fue Heinrich Himmler quien le dio nueva vida. Llamó a Wolff a Berlín el 16 de abril para que explicara su muy informado comportamiento traidor: sus encuentros con Dulles eran altamente sospechados. Para Wolff fue el principio de dos semanas de agitadas e improbables escapadas.

Wolff voló a Berlín y preparó un farol a vida o muerte. Adoptando un aire de sinceridad y altivez, pidió a Himmler que le permitiera apelar su caso ante Hitler. Luego, cuando Wolff se reunió con el Führer, le recordó una conversación que habían mantenido una vez acerca del valor del acceso secreto a los líderes enemigos. Wolff reclamó el crédito de haber abierto canales hasta Truman y Churchill a través de sus conversaciones con Dulles. Tras una pausa pensativa, Hitler dijo: «Acepto su presentación. Es usted fantásticamente afortunado». Luego envió a Wolff de vuelta a Italia el 18 de abril, diciéndole que siguiera hablando con los norteamericanos y ganando tiempo.

A su llegada a Italia, Wolff reanudó su trabajo de persuasión con el general Von Vietinghoff. Esta vez hizo progresos. La reluctancia de Vietinghoff había sido parcialmente política –no había deseado actuar sin una fuerte directriz del mariscal de campo Kesselring– y en parte militar, dentro de una honorable tradición. Para proteger a sus hombres, deseaba ablandar la insistencia aliada de una rendición incondicional. Ahora, deprimido por el empeoramiento de la situación militar, Vietinghoff se avino más a razones, aunque aferrándose aún fuertemente a algunos puntos, como la seguridad por parte de los aliados de que los soldados alemanes no serían obligados a trabajos forzados ni serían mantenidos prisioneros durante mucho tiempo en territorio extranjero. Wolff siguió presionándole, día tras día.

El 23 de Abril, Dulles recibió una llamada telefónica del mayor Max Waibel, su confidente en el servicio de inteligencia suizo, que le comunicó la sorprendente noticia de que el general Wolff y otros dos oficiales alemanes estaban cruzando la frontera en trajes civiles para rendir todas las fuerzas alemanas en Italia. «Decir que fue una situación difícil es decirlo suavemente», observó más tarde Dulles. No dispuesto a rechazar una rendición segura ni a reanudar las charlas prohibidas bajo su propia responsabilidad, envió peticiones a Washington y al mariscal de campo Alexander solicitando permiso para reabrir *Sunrise*. Mientras aguardaba las respuestas, Waibel acomodó a los tres alemanes en su propia casa junto al lago Lucerna.

No llegó ninguna respuesta al día siguiente, y Wolff regresó a Italia para no despertar sospechas de sus superiores nazis. Dejó detrás al mayor de las SS Eugen Wenner con una autorización escrita para rendir todas las tropas de las SS en Italia. El otro alemán, el oficial de estado mayor del ejército teniente coronel Victor von Scheweinitz, llevaba un documento similar firmado por Vietinghoff.

Wolff, retrasado por los bloqueos partisanos camino de su cuartel general, se detuvo para pasar la noche del 25 de abril en la Villa Locatelli, una instalación de las SS en Cernobbio, a menos de dos kilómetros dentro de la frontera italiana. Poco después de su llegada, entró el mariscal Rodolfo Graziani, el comandante militar de la llamada República de Salò, el gobierno marioneta de Benito Mussolini apoyado por los alemanes. Graziani reveló que el Duce estaba cerca, camino de las montañas al norte del lago Como para efectuar una última resistencia con algunas tropas italianas. Wolff aprovechó rápidamente el encuentro casual y persuadió al viejo y alterado mariscal de que redactara y firmara un documento rindiendo lo que quedaba del ejército italiano.

A primeras horas del 26 de abril, Wolff se dio cuenta de que tenía terribles problemas. Grupos de partisanos, sabedores de que Mussolini y otros fascistas habían sido vistos cerca del lago Como, habían convergido en la zona de la noche a la mañana y habían rodeado la Villa Locatelli. Pero olvidaron cortar las líneas telefónicas, y Wolff consiguió comunicar con el ayudante de Dulles, Gero von Schulze Gaevernitz, y pedirle su ayuda. Aquella tarde, un agente de la OSS, fingiendo ser el cónsul norteamericano en Lugano, consiguió convencer a los partisanos de dejar a Wolff abandonar la villa custodiado por él. Mussolini y su amante, Clara Petacci, no tuvieron tanta suerte. Fueron capturados por los partisanos, que los ejecutaron dos días más tarde.

El 27 de abril, Dulles y el mariscal de campo Alexander recibieron la autorización de sus gobiernos para continuar con *Sunrise*. Al día siguiente, los dos plenipotenciarios alemanes (que habían quedado en Suiza cuando Wolff regresó a Italia) volaron al cuartel general de Alexander en Caserta, cerca de Nápoles. Allá, el 19 de abril, después de que los alemanes airearan sus últimas objeciones y fueran desechadas, se firmó un instrumento de rendición, con efectos desde el mediodía del 2 de mayo..., bajo la atenta mirada de una delegación soviética conducida por el general de división Alexei R. Kislenko.

La guerra en Italia parecía haber terminado. Pero todavía faltaba representar una escena final. El mariscal de campo Kesselring, que había mostrado una cierta simpatía hacia la idea de la capitulación, decidió ahora impedir que tuviera lugar una auténtica rendición. Llamó al general Von Vietinghoff a su cuartel general en Inssbruck, Austria –una ciudad amenazada ya por el avance hacia el sur del general Devers– y lo reemplazó por un oscuro general llamado Friedrich Schulz. Otros altos oficiales implicados en la rendición fueron situados bajo arresto.

El general de las SS Karl Wolff, de vuelta a su cuartel general en Bolzano, se puso de nuevo al trabajo para persuadir a Kesselring y a Schulz de que permitieran que se produjera la rendición. Schulz se negó a ceder sin la aprobación de Kesselring, pero Kesselring estaba en el campo y no podía conectarse con él. El propio Kesselring telefoneó a Wolff a las dos de la madrugada del 2 de mayo, y Wolff pasó dos horas argumentando con el mariscal de campo, al parecer sin ningún éxito. Pero media hora después de que Kesselring colgara, Wolff recibió una llamada de Schulz, que le informó que Kesselring acababa de ordenar que se observara el alto el fuego.

Finalmente la guerra en Italia *había* terminado por fin. Mientras los alemanes del Grupo de Ejército C deponían las armas, unidades del Quinto Ejército de los Estados Unidos, que habían ascendido luchando todo el camino por la bota italiana, se apresuraron hacia el norte para unirse con las demás tropas aliadas. En la ciudad italiana de Vipiteno, cerca del paso de Brenner, los hombres de la 88ª División de Infantería estrecharon las manos de los soldados de la 103ª División del Séptimo Ejército de los Estados Unidos, vencedores de la carrera hacia el sur a través de Austria.